Giuseppe Verdi

Falstaff

Commedia lirica
in tre atti

Libretto
di Arrigo Boito

Commedia lirica
in three acts

Libretto
by Arrigo Boito

English version
by W. Beatty Kingston

Prima rappresentazione:
Milano, Teatro alla Scala
9 febbraio 1893

Uraufführung:
Mailand, Teatro alla Scala
9. Februar 1893

First performance:
Milan, Teatro alla Scala
9th February 1893

Première représentation:
Milan, Teatro alla Scala
le 9 février 1893

Riduzione per canto e pianoforte
di Carlo Carignani
A cura di Mario Parenti (1964)

Klavierauszug
von Carlo Carignani
Hrsg. von Mario Parenti (1964)

Vocal score
by Carlo Carignani
Edited by Mario Parenti (1964)

Réduction pour chant et piano
par Carlo Carignani
Etablie par Mario Parenti (1964)

RICORDI

Grafica della copertina • *Cover design*: Giorgio Fioravanti, G&R Associati

Produzione, distribuzione e vendita • *Production, distribution and sale*:
BMG Publications srl – via Liguria 4 – 20098 Sesto Ulteriano – San Giuliano Milanese (MI) – Italia
Catalogo completo delle edizioni in vendita, consultabile su
All current editions in print can be found in our online catalogue at
www.ricordi.it – www.ricordi.com – www.durand-salabert-eschig.com

Stampato in Italia • *Printed in Italy*

CP 96342/05
ISMN M-040-96342-7
(edizione in brossura • *paperbound edition*)

CP 96342/04
ISMN M-041-37052-1
(edizione rilegata in tela e oro • *gold stamped cloth binding*)

Riassunto del libretto

Atto I, parte I. Nell'osteria della Giarrettiera, Falstaff sta terminando di scrivere due lettere, quando giunge il dottor Cajus, che lo accusa di avere picchiato i suoi servi e rovinato la giumenta. Non avendone avuta soddisfazione, il dottor Cajus affronta Bardolfo e Pistola, i servi di Falstaff, rei di averlo fatto bere per poterlo derubare. I servi respingono l'accusa, e il dottor Cajus esasperato si allontana, giurando di ubriacarsi in futuro solo tra gente sobria. Ora Falstaff fa il conto dei pochi soldi che gli rimangono, e incarica i due servi di recapitare le lettere che ha appena scritto: una ad Alice, moglie del ricco borghese Ford, l'altra a Meg. Falstaff spera così, conquistando le due donne, di rimpinguare il borsellino ormai vuoto. Ma Bardolfo e Pistola ricusano l'incarico, che incrinerebbe la loro dignità di uomini d'onore. Falstaff furente consegna le due lettere a un paggio dell'osteria, e scaccia a colpi di scopa Bardolfo e Pistola, non senza aver loro spiegato il labile significato della parola "onore".

Atto I, parte II. In un giardino presso la casa di Ford, Meg e l'amica Quickly incontrano Alice che sta uscendo di casa con la figlia Nannetta: Alice e Meg hanno appena ricevuto le lettere che ha loro inviato Falstaff e, confrontandole, si accorgono ridendo che sono identiche. Decidono subito di punire l'anziano e grasso corteggiatore, e mentre stanno meditando la burla, entrano Ford e il dottor Cajus, che vengono informati da Bardolfo e Pistola sulle pericolose intenzioni di Falstaff, mentre Fenton, unitosi al gruppo degli uomini, cerca di trovare i momenti opportuni per appartarsi con Nannetta, di cui è innamorato. A Ford l'idea di vedersi crescere in testa un ingombrante paio di corna non piace affatto, e quindi si allontana con gli altri uomini per studiare la vendetta; nel frattempo le donne hanno già stabilito che Quickly in veste di mezzana si presenterà a Falstaff per fissargli un appuntamento con Alice e Meg. Con l'impegno di ritrovarsi l'indomani per la grande burla, anche le donne si allontanano.

Atto II, parte I. Bardolfo e Pistola sono tornati all'osteria della Giarrettiera a chiedere perdono a Falstaff, e gli annunciano la visita di una donna. È Quickly, la quale informa il cavaliere che Alice Ford lo aspetta in casa sua, approfittando di una assenza del marito, dalle due alle tre. In quanto a Meg, l'appuntamento deve essere rimandato, perché il marito di lei non si assenta mai. Falstaff congeda la donna, e si compiace di aver ancora fortuna con le donne, malgrado l'età avanzata. Ma ora rientrano Bardolfo e Pistola ad annunciare la visita di un uomo, un certo Fontana, cioè Ford travestito. Costui, dopo aver consegnato a Falstaff una borsa piena di denaro, gli fa una strana proposta: egli, innamorato di Alice, non riesce a scalfirne la virtù, e chiede alla consumata esperienza di Falstaff di prepararagli la strada alla conquista. Falstaff accetta la proposta, tanto più che è già vicino alla conquista: oggi stesso, dalle due alle tre, stringerà fra le sue braccia Alice. Detto questo, si allontana per prepararsi all'appuntamento. Sconforto, delusione, desiderio di vendetta scuotono l'animo di Ford; ma Falstaff è già pronto, e i due uomini si allontanano a braccetto.

Atto II, parte II. Nella casa di Ford, Alice con le amiche si appresta a ricevere Falstaff, e intanto promette alla figlia Nannetta che lei sposerà Fenton, e non il dottor Cajus, come è nel progetto di Ford. Ora Alice è sola, e Falstaff si lancia alla sua conquista. Ma entra Quickly ad annunciare l'arrivo di Meg; Falstaff si nasconde dietro un paravento e Meg entra agitatissima, avvisando Alice che suo marito si avvicina, pazzo di gelosia. Questo è solo un trucco per spaventare Falstaff, ma dopo un attimo entra Quickly, a dire che Ford sta per giungere davvero, insieme ai suoi amici e seguito da una gran folla. Le donne, terrorizzate, nascondono Falstaff nel cesto della biancheria sporca. Ford irrompe nella casa con il suo seguito e comincia la caccia all'uomo. Nella confusione generale Nannetta e Fenton si nascondono dietro il paravento, a baciarsi e a dirsi parole d'amore. Approfittando di un momento in cui Ford e gli altri uomini si sono allontanati, Alice ordina ai servi di gettare la cesta fuori della finestra, e Ford giunge appena in tempo per vedere il povero Falstaff precipitare nell'acqua di un canale dove lavorano le lavandaie.

Atto III, parte I. Nell'osteria della Giarrettiera, Falstaff impreca contro il mondo intero e trova conforto solo in un buon bicchiere di vino caldo. Quando Quickly si presenta sulla soglia, egli la vorrebbe scacciare; ma la donna gli assicura che Alice è innocente, e gli fissa un nuovo appuntamento, questa volta nel bosco, accanto alla quercia di Herne, luogo di fantasmi, a mezzanotte: egli dovrà presentarsi travestito da Cacciatore Nero. Mentre Quickly spiega le modalità dell'incontro, tutti gli altri spiano e preparano la grande burla a Falstaff: una mascherata, con Nannetta travestita da Regina delle Fate. A parte, Ford dà poi istruzioni al dottor Cajus, che nel corso della mascherata farà sposare a Nannetta, ma Quickly li vede e intuisce il loro intento, mentre va a raggiungere le altre donne nei preparativi.

Atto III, parte II. È notte, nei pressi della quercia di Herne: Fenton canta una canzone d'amore, Nannetta risponde, mentre Alice dà gli ultimi ritocchi al suo piano. Al suono della mezzanotte entra Falstaff, e Alice gli si presenta; ma di nuovo l'eccitazione del focoso cavaliere viene fermata, questa volta dall'arrivo delle fate. Poiché chi le guarda muore, Falstaff si getta faccia a terra, e dopo il canto della Regina delle Fate entrano tutti a pizzicare, punzecchiare, calciare, tormentare il povero Falstaff sdraiato per terra. Ma infine Falstaff riconosce Bardolfo, e a questo punto la burla viene scoperta; il cavaliere, dopo un attimo di smarrimento, accetta la sconfitta con una cordiale risata. Ford allora invita la Regina delle Fate e un uomo mascherato agli sponsali, mentre Alice introduce altri due sposi, una fanciulla con un velo celeste e un uomo in cappa e maschera. Ford benedice le due coppie di sposi, e quando vengono tolti i veli e le maschere si accorge di aver sposato il dottor Cajus con Bardolfo, e Fenton con Nannetta. Falstaff ride alle sue spalle, ma ormai non resta altro che accettare il nuovo parentado, non senza aver intonato, per ben chiudere la festa, un buon coro burlesco.

Synopsis of the libretto

Act I, part I. In the Garter Inn, Falstaff is in the process of sealing two letters when Dr. Cajus enters, accusing him of having thrashed his servants and worn out his mare. Falstaff responds with frustrating nonchalance, whereupon Dr. Cajus accosts Bardolfo and Pistola, Falstaff's servants, whom he charges with having gotten him drunk so that they could rob him. Both hotly challenge his accusation, and Dr. Cajus leaves thoroughly disgruntled, swearing that from now on when he drinks too much it shall only be among decent, sober folk. Falstaff proceeds to take stock of the bit of money he has remaining, and orders the two servants to deliver the letters he has just written: one to Alice, wife of the rich burgher Ford, the other to Meg. His scheme is to conquer the hearts of the two women in order to replenish his nearly empty purse. But Bardolfo and Pistola refuse this commission, claiming it would damage their dignity as honorable men. Falstaff, furious, consigns the letters to a page and he chases Bardolfo and Pistola away with a broom after enlightening them regarding the ephemeral meaning of "honor".

Act I, part II. In the garden of Ford's house, Meg and her friend Quickly encounter Alice as she comes out of the house with her daughter Nannetta. Alice and Meg have just received their respective letters from Falstaff, and in comparing them they discover to their amusement that the wording is identical for both. They immediately decide to punish their aging, pot-bellied suitor. As they move away contemplating what prank to play, Ford and Dr. Cajus enter and are informed by Bardolfo and Pistola of Falstaff's dangerous intentions, while Fenton, who had joined them, takes advantage of their distraction to slip off with Nannetta, whom he adores. Ford finds it most unpleasant to imagine himself sporting an awkward pair of cuckold horns on his head, and he exits with the other men to plot his revenge. Meanwhile the women have determined that Quickly, pretending to be a peasant messenger, should go to Falstaff and arrange appointments for him with Alice and Meg. They agree to meet the next day for the great hoax and depart.

Act II, part I. Bardolfo and Pistola, who have returned to the inn to ask Falstaff's forgiveness, announce that a woman desires to see him. It is Quickly, come to inform Falstaff that Alice Ford awaits him at home for a rendezvous between two and three o'clock, when her husband will be away. Poor Meg, on the other hand, is forced to postpone any such encounter because her husband never leaves her alone. Falstaff dismisses Quickly and congratulates himself for his enduring allure despite the passing of years. Bardolfo and Pistola return, this time to announce the visit of a man by the name of Fontana, who is none other than Ford in disguise. After depositing a "burdensome" bag of gold coins in Falstaff's hand, he makes a strange proposal: that the seductive and consummately experienced Falstaff might prepare the way for him to conquer a married woman whom he loves in vain named Alice, wife of a certain Ford. Falstaff accepts, adding that he is in fact already quite close to this very goal, and that that same day, between two and three o'clock, she will be lost in his embrace. He excuses himself momentarily to prepare for this appointment, leaving the disillusioned and anguished Ford alone to ponder his wife's evident betrayal. But when Falstaff returns Ford resumes his role and they exit amicably, arm in arm.

Act II, part II. Alice and her companions have gathered in Ford's house and are preparing for Falstaff's arrival. She meanwhile reassures Nannetta that she will help her to marry Fenton and not Dr. Cajus, as Ford has planned. Falstaff arrives and, finding Alice alone, he wastes no time in the pursuit of his amorous objective. But Quickly enters to announce the arrival of Meg, sending Falstaff to hide in haste behind a screen. An agitated Meg rushes in, anxious to alert Alice that her husband is approaching in a jealous rage. This is only a ruse to frighten Falstaff, of course, but a moment later Quickly returns to warn them that Ford is indeed on his way, surrounded by his friends and with a great crowd gathered behind. At this news the women are truly terrified. Ford bursts upon the scene with his motley entourage, and the manhunt begins. In the general confusion the women manage to hide Falstaff in a basket of dirty linen, while Nannetta and Fenton steal behind the screen to kiss and coo until they are discovered and sent scurrying. When Ford and his men finally go off to search elsewhere in the house, Alice takes advantage of this opportunity to have the servants heave the linen basket up over the window ledge and down into the channel where women are washing by the rushes. Ford returns and Alice leads him to the window to enjoy their fetching view of poor Falstaff, who has tumbled out into the water below.

Act III, part I. Sitting on a bench before the Garter Inn, Falstaff curses the world as he seeks solace in a generous glass of warm wine. When Quickly appears before him Falstaff would banish her immediately from his sight, but the good woman assures him that Alice is innocent and she successfully lures him into another trap with the enticing proposal of a new encounter: this time at midnight, beside haunted Herne's Oak in the royal park, whence he should come dressed as the Black Hunter. The two enter the inn to talk further while the others, who have been secretly observing this scene in the distance, come forward to plan the details of their great prank: everyone will participate in costume as spirits of the forest, with Nannetta as the Fairy Queen. Separately, Ford and Dr. Cajus refine their own scheme so that Ford is able to recognize Cajus with Nannetta and give his blessing to the couple as betrothed. The significance of their secretive behavior is not lost on Quickly, however, who notices them going off together as she leaves the inn to join the women in their preparations.

Act III, part II. It is night at the appointed place beside Herne's Oak. Fenton sings a love song and Nannetta responds, while Alice puts the last touches to her own plans. Falstaff enters as the bells chime midnight, sporting a pair of stag horns and wrapped in a cape. When Alice steps out of the darkness, Falstaff resumes his impassioned courtship but again he is interrupted, this time by the arrival of the fairies, reputed to bring death to anyone who observes them. Fearing such a fate, Falstaff flings himself prostrate to the ground and remains helplessly immobile as they prick, pinch, kick, and generally torment him. At a certain point, however, he recognizes Bardolfo among them and the game is up. Ford, Alice, Meg, and Quickly reveal the hoax, and after a moment of confusion, Falstaff ironically but affably accepts his punishment. It remains for Ford, however, to marry Cajus to Nannetta as he has planned, and he calls for the masked couple to come forward. Alice ushers forth another masked couple to join them in the ceremony and they are duly blessed as well, but when all disguises are removed Ford discovers to his dismay that he has in fact married Cajus to Bardolfo and Fenton to Nannetta. Now it is Falstaff's turn to laugh at Ford's expense as Ford realizes that the women have had the better of him as well. The opera concludes with a rousing chorus celebrating the fact that all the world's a jest, and that he who laughs last laughs best.

Zusammenfassung des Librettos

Erster Akt, erster Teil. In dem Gasthaus zum Strumpfband schreibt Falstaff gerade zwei Briefe zu Ende, als Doktor Cajus eintrifft und ihn beschuldigt, seine Diener geschlagen und die Reitstute verletzt zu haben. Da er keine Genugtuung erhält, wendet sich Doktor Cajus an Bardolfo und Pistola, die Diener von Falstaff, die wiederum schuldig sind, ihn betrunken gemacht zu haben, um ihn ausrauben zu können. Die Diener weisen die Anschuldigung zurück und der verzweifelte Doktor Cajus entfernt sich mit dem Schwur, sich in Zukunft nur noch unter nüchternen Leuten zu betrinken. Nun zählt Falstaff die wenigen Münzen, die ihm verbleiben, und beauftragt die beiden Diener, die soeben geschriebenen Briefe zuzustellen: einer an Alice, die Frau des reichen Bürgers Ford, und den anderen an Meg. Falstaff hofft, die beiden Frauen zu erobern und den inzwischen leeren Geldbeutel so wieder aufzufüllen. Doch Bardolfo und Pistola lehnen den Auftrag ab, da er unter ihrer Würde als Ehrenmänner ist. Der erboste Falstaff überreicht die beiden Briefe einem Pagen des Gasthauses und jagt Bardolfo und Pistola mit dem Besen davon, nicht ohne ihnen die flüchtige Bedeutung des Wortes „Ehre" erklärt zu haben.

Erster Akt, zweiter Teil. In einem Garten beim Hause Ford treffen Meg und ihre Freundin Quickly Alice, die gerade mit der Tochter Nannetta das Haus verlässt: Alice und Meg haben soeben die Briefe von Falstaff erhalten, und als sie sie vergleichen, müssen sie lachend feststellen, dass deren Inhalt identisch ist. Sie beschließen sofort, den alten und fetten Verehrer zu bestrafen, und während sie sich einen Streich ausdenken, treffen Ford und Doktor Cajus ein, die von Bardolfo und Pistola von den gefährlichen Absichten Falstaffs in Kenntnis gesetzt werden; Fenton, der sich derweil an die Gruppe der Männer angeschlossen hat, versucht dagegen einen geeigneten Moment zu finden, um sich mit Nannetta, in die er verliebt ist, abzusondern. Ford gefällt die Idee, dass ihm eventuell zwei unbequeme Hörner aufgesetzt werden, ganz und gar nicht, und so entfernt er sich mit den anderen Männern, um einen Racheplan zu entwerfen. Inzwischen haben die Frauen beschlossen, dass Quickly sich Fallstaff als Kupplerin vorstellt, um ein Treffen mit Alice und Meg zu arrangieren. Mit dem Versprechen, sich morgen zu dem großen Streich wieder zu treffen, entfernen sich auch die Frauen.

Zweiter Akt, erster Teil. Bardolfo und Pistola sind zu dem Gasthaus zum Strumpfband zurückgekehrt, um Falstaff um Verzeihung zu bitten und zugleich den Besuch einer Frau anzukündigen. Es ist Quickly, die dem Kavalier die Nachricht überbringt, dass Alice Ford ihn bei sich zu Hause zwischen zwei und drei erwartet, wobei sie die Abwesenheit ihres Mannes ausnutzen will. Was Meg betrifft, so muss die Verabredung verschoben werden, denn ihr Ehemann geht nicht aus dem Haus. Falstaff verabschiedet die Frau und freut sich trotz seines fortgeschrittenen Alters noch Glück bei den Frauen zu haben. Doch da kehren Bardolfo und Pistola zurück und kündigen den Besuch eines Mannes an, ein gewisser Fontana, das heißt der verkleidete Ford. Dieser überreicht Falstaff einen Beutel voller Münzen und trägt ihm sein seltsames Anliegen vor: er ist in Alice verliebt, hat sie aber bis jetzt nicht erobern können, und so bittet er nun den äußerst erfahrenen Falstaff, ihm den Weg zu dieser Eroberung zu ebnen. Falstaff nimmt den Vorschlag an, auch weil er sich dem Sieg bereits nahe wähnt: noch heute wird er Alice zwischen zwei und drei in den Armen halten. Nach dieser Mitteilung entfernt er sich, um sich für das Stelldichein vorzubereiten. Bestürzung, Enttäuschung und Rachegelüste schütteln Ford tief in seiner Seele, doch Falstaff ist schon fertig und die beiden Männer entfernen sich in vertrautem Einvernehmen miteinander.

Zweiter Akt, zweiter Teil. In dem Hause Fords sind Alice und ihre Freundinnen bereit Falstaff zu empfangen und in der Zwischenzeit verspricht sie der Tochter Nannetta, dass sie Fenton heiraten wird und nicht Doktor Cajus, so wie von Ford geplant. Nun ist Alice allein und Falstaff versucht sie zu verführen. Doch da tritt Quickly ein und kündigt das Eintreffen von Meg an; Falstaff versteckt sich hinter einer spanischen Wand und Meg kommt aufgeregt gelaufen und teilt Alice mit, dass ihr Mann im Anmarsch ist und zwar ganz verrückt vor Eifersucht. Dies ist jedoch nur ein Trick, um Falstaff zu erschrecken, doch einen Augenblick später kommt Quickly herein, um anzukündigen, dass Ford tatsächlich, zusammen mit seinen Freunden und von einer großen Menschenmenge gefolgt, herannaht. Die entsetzten Frauen verstecken Falstaff in einem Korb schmutziger Wäsche. Ford tritt mit seinem Gefolge in das Haus und beginnt die Jagd nach dem Mann. In dem allgemeinen Durcheinander verstecken sich Nannetta und Fenton hinter der spanischen Wand, um sich zu küssen und Liebesschwüre zuzuflüstern. Indem sie einen Moment nutzt, in dem Ford und die anderen Männer fort sind, befiehlt Alice den Dienern, den Korb aus dem Fenster zu werfen und Ford kommt gerade rechtzeitig, um den armen Falstaff ins Wasser eines Kanals fallen zu sehen, wo die Wäscherinnen am Werk sind.

Dritter Akt, erster Teil. In dem Gasthaus zum Strumpfband schimpft Falstaff auf Gott und die Welt und findet nur in einem guten Glas warmen Weins Trost. Als Quickly auf der Schwelle steht, würde er sie am liebsten fortjagen, doch die Frau versichert ihm, dass Alice unschuldig ist, und vereinbart ein weiteres Treffen um Mitternacht, dieses Mal im Wald an der Eiche von Herne, einem gespenstischen Ort: er hat sich als Schwarzer Jäger verkleidet zu präsentieren. Während Quickly die Einzelheiten des Treffens erläutert, belauschen sie die anderen und bereiten den großen Streich für Falstaff vor: eine Maskerade, bei der Nannetta sich als Feenkönigin verkleidet. Im Abseits gibt Ford indessen Doktor Cajus Anweisungen, der im Laufe der Maskerade Nannetta heiraten soll, doch Quickly beobachtet sie und ahnt ihre Absichten, dann gesellt sie sich zu den anderen Frauen für die Vorbereitungen.

Dritter Akt, zweiter Teil. Es ist Nacht, in der Nähe der Eiche von Herne: Fenton singt ein Liebeslied und Nannetta antwortet, während Alice die letzten Vorbereitungen zu ihrem Plan trifft. Als es Mitternacht schlägt, trifft Fallstaff ein und Alice stellt sich ihm vor; doch erneut wird die Leidenschaft des feurigen Kavaliers gebremst, diesmal durch das Eintreffen der Feen. Da man stirbt, wenn man den Feen ins Antlitz blickt, wirft sich Falstaff zu Boden und auf den Gesang der Feenkönigin kommen alle herbei und zwicken, stechen, treten und quälen den armen am Boden liegenden Falstaff. Doch am Ende erkennt Falstaff Bardolfo und an dieser Stelle wird der Streich aufgedeckt; nach einem zögerlichen Moment des Begreifens akzeptiert der Kavalier die Niederlage mit einem herzlichen Lachen. Da fordert Ford die Feenkönigin auf, einen verkleideten Mann zu ehelichen, während Alice ein weiteres Brautpaar einführt, ein Mädchen mit hellblauem Schleier und ein Mann mit Umhang und Maske. Ford gibt den beiden Brautpaaren seinen Segen, und als die Schleier fallen, sieht er, dass er Doktor Cajus mit Bardolfo verheiratet hat und Fenton mit Nannetta. Falstaff lacht hinter seinem Rücken, doch da bleibt nur, die neuen verwandtschaftlichen Verhältnisse zu akzeptieren, nicht ohne zuvor zum krönenden Abschluss der Feier einen burlesken Gesang anzustimmen.

Résumé du livret

Premier Acte, Première Partie. Dans l'auberge de la Jarretière, Falstaff finit d'écrire deux lettres, quand survient le docteur Caïus, qui l'accuse d'avoir battu ses serviteurs et d'avoir forcé sa jument. N'ayant pas obtenu satisfaction, le docteur Caïus affronte Bardolph et Pistol, les serviteurs de Falstaff, coupables de l'avoir fait boire pour pouvoir le voler. Les serviteurs rejettent cette accusation, et le docteur Caïus s'éloigne exaspéré, en jurant que dans l'avenir il ne s'enivrera qu'en compagnie de gens sobres. Maintenant Falstaff compte les maigres ressources qui lui restent, et il charge ses deux serviteurs de délivrer les lettres qu'il vient d'écrire : une à Alice, la femme du riche bourgeois Ford, l'autre à Meg. Falstaff espère ainsi, en conquérant les deux dames, renflouer son porte-monnaie qui maintenant est vide. Mais Bardolph et Pistol refusent cette tâche, qui entamerait leur dignité d'hommes d'honneur. Falstaff furieux confie les deux lettres à un page de l'auberge, et chasse Bardolph et Pistol à coups de balai, non sans leur avoir expliqué le caractère éphémère de la parole « honneur ».

Premier Acte, Deuxième Partie. Dans un jardin près de la maison de Ford, Meg et son amie Quickly rencontrent Alice qui sort de sa maison avec sa fille Nannette : Alice et Meg viennent de recevoir les lettres que Falstaff leur a envoyées, et en les comparant elles s'aperçoivent en riant qu'elles sont identiques. Elles décident tout de suite de punir ce gros et vieux libertin, et tandis qu'elles méditent une mystification, Ford et le docteur Caïus entrent ; Bardolph et Pistol les informent des intentions dangereuses de Falstaff, tandis que Fenton, qui s'est uni à leur groupe, essaie de trouver le bon moment pour s'isoler avec Nannette, dont il est amoureux. Ford n'aime pas du tout l'idée de voir grandir sur sa tête une encombrante paire de cornes, il s'éloigne donc avec d'autres hommes pour étudier sa vengeance ; entre-temps les femmes ont déjà décidé que Quickly, déguisée en entremetteuse, se présentera à Falstaff pour lui fixer un rendez-vous avec Alice et Meg. Ayant décidé de se retrouver le lendemain pour la grande plaisanterie, les femmes s'éloignent elles aussi.

Deuxième Acte, Première Partie. Bardolph et Pistol sont retournés à l'auberge de la Jarretière, pour demander pardon à Falstaff, et ils lui annoncent la visite d'une dame. C'est Quickly, qui informe le chevalier qu'Alice Ford l'attend chez elle, en profitant d'une absence de son mari, entre deux et trois heures. Quant à Meg, le rendez-vous doit être renvoyé, car son mari ne s'absente jamais. Falstaff congédie la femme, et se réjouit d'avoir encore du succès avec les femmes, malgré son âge avancé. Mais maintenant Bardolph et Pistol rentrent et annoncent la visite d'un homme, un certain Fontana, qui est Ford déguisé. Ce dernier, ayant délivré à Falstaff un sac plein d'argent, lui fait une proposition étrange : lui même, amoureux d'Alice, n'arrive pas à entamer sa vertu, et il demande à Falstaff, avec son expérience consommée, de lui préparer la route pour la conquérir. Falstaff accepte sa proposition, d'autant plus qu'il est déjà proche de la conquête : aujourd'hui même, entre deux et trois heures, il serrera Alice dans ses bras. Cela dit, il s'éloigne pour se préparer au rendez-vous. Désespoir, désillusion, désir de vengeance ébranlent l'âme de Ford ; mais Falstaff est déjà prêt, et les deux hommes s'éloignent bras dessus bras dessous.

Deuxième Acte, Deuxième Partie. Dans la maison de Ford, Alice et ses amies se préparent pour recevoir Falstaff, et pour le moment Alice promet à sa fille Nannette qu'elle épousera Fenton, et non le docteur Caïus, comme l'a projeté Ford. Maintenant Alice est seule, et Falstaff se lance à sa conquête. Mais Quickly entre et annonce l'arrivée de Meg ; Falstaff se cache derrière un paravent, et Meg entre très agitée : elle avertit Alice que son mari est en train d'arriver, fou de jalousie. C'est seulement un truc pour faire peur à Falstaff, mais après un instant Quickly entre, et dit que Ford est vraiment sur le point d'arriver, avec ses amis et suivi d'une grande foule. Les dames, terrorisées, cachent Falstaff dans le panier du linge sale. Ford fait irruption chez lui avec sa suite, et la chasse à l'homme commence. Dans la confusion générale, Nannette et Fenton se cachent derrière le paravent, ils s'embrassent et s'échangent des mots d'amour. Profitant d'un instant où Ford et les autres hommes se sont éloignés, Alice ordonne aux serviteurs de jeter le panier par la fenêtre, et Ford arrive juste à temps pour voir le pauvre Falstaff précipiter dans l'eau d'un canal où les lavandières travaillent.

Troisième Acte, Première Partie. Dans l'auberge de la Jarretière, Falstaff ronchonne contre le monde entier, et il ne se réconforte qu'avec un bon verre de vin chaud. Quand Quickly se présente sur le seuil, il voudrait la chasser ; mais la femme l'assure qu'Alice est innocente, et lui fixe un nouveau rendez-vous, cette fois dans le bois, près du chêne de Herne, lieu de fantômes, à minuit : il devra s'y présenter déguisé en Chasseur Noir. Tandis que Quickly lui explique les modalités du rendez-vous, tous les autres les épient, et préparent la grande farce pour Falstaff : une mascarade, avec Nannette déguisée en Reine des Fées. En aparté, Ford donne ensuite des instructions au docteur Caïus, qu'il mariera avec Nannette au cours de la mascarade, mais Quickly les voit et devine leur intention, tandis qu'elle va rejoindre les autres femmes pour les préparatifs.

Troisième Acte, Deuxième Partie. La nuit, à l'entour du chêne de Herne: Fenton chante une chanson d'amour, Nannette lui répond, tandis qu'Alice fait les dernières retouches à son plan. Quand minuit sonne, Falstaff entre, et Alice se présente à lui ; mais à nouveau l'excitation du fougueux chevalier est arrêtée, cette fois par l'arrivée des fées. Parce que celui qui les regarde meurt, Falstaff se jette la face contre terre, et après le chant de la Reine des Fées tous entrent et tous se mettent à pincer, piquer, donner des coups de pied, tourmenter, le pauvre Falstaff étendu par terre. Mais enfin Falstaff reconnaît Bardolph, et alors il découvre la farce ; après un instant de désarroi, le chevalier accepte sa défaite en riant cordialement. Alors Ford invite la Reine des Fées et un homme masqué à leur mariage, tandis qu'Alice introduit un autre couple d'époux, une jeune fille avec un voile bleu et un homme masqué avec une cape. Ford bénit les deux couples, et quand ils enlèvent les voiles et les masques, Ford se rend compte qu'il a marié le docteur Caïus avec Bardolph et Fenton avec Nannette. Falstaff rit dans son dos, mais Ford ne peut qu'accepter la nouvelle parenté, non sans avoir entonné, pour bien conclure la fête, un bon chœur burlesque.

Personaggi

Sir John Falstaff
baritono

Ford, marito d'Alice
baritono

Fenton
tenore

Dottor Cajus
tenore

Bardolfo, seguace di Falstaff
tenore

Pistola, seguace di Falstaff
basso

Mrs. Alice Ford
soprano

Nannetta, figlia di Alice e Ford
soprano

Mrs. Quickly
mezzosoprano

Mrs. Meg Page
mezzosoprano

L'oste della Giarrettiera

Robin, paggio di Falstaff

Un paggetto di Ford

Borghesi e popolani, servi di Ford, mascherata di folletti, di fate, di streghe, ecc.

Scena: Windsor
Epoca: Regno di Enrico IV d'Inghilterra

La presente commedia è tolta dalle *Allegri comari di Windsor* e da parecchi passi dell'*Enrico IV* riguardanti il personaggio di Falstaff.

Characters

Sir John Falstaff
baritone

Ford, Alice's husband
baritone

Fenton
tenor

Doctor Cajus
tenor

Bardolph, a follower of Falstaff
tenor

Pistol, a follower of Falstaff
bass

Mrs. Alice Ford
soprano

Anne, her daughter
soprano

Dame Quickly
mezzo-soprano

Mrs. Meg Page
mezzo-soprano

Host of the Garter Inn

Robin, Falstaff's page

A page in Ford's household

Burghers and street-folk, Ford's servants, Maskers as elves, fairies, witches, etc.

Scene: Windsor
Time: Reign of King Henry IV

This comedy is derived from Shakespeare's *Merry Wives of Windsor*, and from certain passages of *Henry IV* having relation to the personality of Falstaff.

Indice / Contents

ATTO PRIMO	**ACT ONE**	
Parte prima	Part One	p. 1
Parte seconda	Part Two	47
ATTO SECONDO	**ACT TWO**	
Parte prima	Part One	136
Parte seconda	Part Two	196
ATTO TERZO	**ACT THREE**	
Parte prima	Part One	297
Parte seconda	Part Two	337

FALSTAFF

DI/BY

G. VERDI

ATTO PRIMO - PARTE PRIMA

Act First - Part First

L'INTERNO DELL'OSTERIA DELLA GIARRETTIERA.

INTERIOR OF THE GARTER INN.

Una tavola. Un gran seggiolone. Una panca. Sulla tavola i resti d'un desinare, parecchie bottiglie e un bicchiere. Calamaio, penne, carta, una candela accesa. Una scopa appoggiata al muro. Uscio nel fondo, porta a sinistra.

Table, large arm-chair, and bench. On the table remains of a meal, several bottles and a glass. Inkstand, pens, paper, a lighted candle. Broom leaning against the wall. Exit C., door L.

♩= 116

ALL.° VIVACE

Falstaff è occupato a riscaldare la cera di due lettere alla fiamma della candela, poi le suggella con un anello. Dopo averle suggellate spegne il lume e si mette a bere comodamente sdraiato sul seggiolone.
Falstaff heats the sealing wax in the candle flame, and with a signet seals two letters, then blows out the light and begins to drink at his ease, stretched out in his chair.

Dr C
FAL
Hai fiac - ca - ta la
You have rid - den to
- n'al - tra bot - ti - glia di Xe - res.
- no - ther flask of Sher - ry.
p
mia giu - men - ta ba - ia, Sfor - za - ta la mia ca - sa.
death 'my fav'- rite hack - ney, My house you've bro - ken in - to.
Ma
But
Trop - pa gra - zia! U - na vec - chia ci -
Thanks for no - thing! Such a blear - eyed old
non la tua mas - sa - ia.
spared your fair house - keep - er.
pp

D.r C
-spo-sa.- Am - - - pio Mes-
crea-ture. Cor - - - - pu - - lent
(1) ff
mf
-se-re, Se fo-ste ven-ti vol-te John Fal-staff Ca-va-
Cap-tain! An you were twen-ty times the dough-ty Knight, John
p
-lie-re V'ob-bli-ghe-rò a ri-sponder-mi.
Fal-staff, I'd force you to re-ply to me.
(con flemma)
(calmly)
FAL.
Ec - co la mia ri-
Hear then, my fi-nal
mf
pp
UN POCO MENO ANIMATO
ben legato
E
And
FAL
-spo-sta: «Ho fat-to ciò ch'hai det-to.»
answer! I've done all you com - plain of!
UN POCO MENO ANIMATO
p
ppp

D.r C
poi?
then?
M'ap_pel_le_rò al Con_si_glio Re_
I will ap_peal to the Council of
FAL
L'ho fat_to ap_ _po_sta.
Such was my plea_sure.
8
p
D.r C
_al.
State.
FAL
Vat_ti con Di_o. Sta zit_to o a_vrai le
Let well a_lone, Sir. A laugh_ing stock you'll
(gridando verso Bardolfo)
(shouting at Bardolph)
D.r C
Non è fi_
It shall not
FAL
bef_fe; quest'è il con_si_glio mi_o.
be else, such is my friend_ly coun_sel.

COME PRIMA
(sempre in furia)
(angrily)
D.r C
-ni - ta!!
end thus.
Bar-
Thou
FAL
Al dia - vo - lo!
A - - way with you!
COME PRIMA
(2)
ff
D.r C
-dol - fo!
Bar - dolph!
Tu, ier, m'hai fat - to
Last night we drank to -
BAR.
Ser Dot - to - re.
Learn - - ed Doc - tor.
mf
D.r C
be - re.
-ge - ther.
B
Pur trop - po! e che do - lo - re!
Too deep - ly! Sore - - ly I've suf - fered

(si fa tastare il polso dal D.r Cajus)
(getting Caius to feel his pulse)
B
Sto mal. D'un tuo pro_no_sti_co m'as_
all day. I pri_thee write me a pre_
_si_sti. Ho l'in_te_sti_no gua_sto. Ma_lan_no a_
_scrip_tion. My stomach's out of or_der. Ac_cur_sed
marcato
f
_gl'o_sti che dan la cal_ce al vi_no!
be the rogues who drug their li_quors!
pp
D.r C.
La ve_do.
I see it.
(indicando il naso)
(pointing to his nose)
Ve_di que_sta me_teo_ra?
See'st thou this glow_ing me_teor?

B
Es - sa si cor - ca ros - sa co-sì o - gni
Night af - ter night thus rud - dy of hue it re -
pp
D.r C.
(scoppiando)
(bursting out)
(a Bardolfo)
(to Bardolph)
Pro - no - sti - co di for - ca! M'hai fat - to
Pre - scrip - tion for the gal - lows! Thou mad'st me
B
not - te.
- po - ses.
ff
mf
(indicando Pistola)
(pointing at Pistol)
D.r C
ber, fur - fan - te, con lui, nar - ran - do
drink, thou vil - lain, with him, old stor - ies
D.r C
fra - sche; Poi, quan - do fui ben
tell - ing; And, when my brains were
mf

D.r C
ciù_sche_ro, m'hai vuo _ ta _ te le tasche.
BAR. fuddled quite, then you both picked my pockets.
(con decoro) (with decorum)
Chi Who
Non io. Not I.
f
fu? then?
FAL.
(chiamando) (calling)
Pi _ sto _ la! Pis _ tol!
(avanzandosi) (advancing)
PISTOLA PISTOL
Pa_ Most
(3)
ff
legatiss.
pp
(scattando contro Pistola) (angrily to Pistol)
Cer _ to fu Tru _ ly, 'twas
(sempre seduto e con flemma) (seated, with gravity)
FAL
Hai tu vuo _ ta _ te le tasche a quel Mes_se _ re?
Was't thou who emp _ tied the pockets of this wor _ thy?
P
_dro _ ne. no _ ble!

Dr C
lui. Guar-da - te
he. Be-hold it,
ff
p
co - me s'atteg - gia al nie - go quel
that li - ar's face, as - - sum - ing a
cef - fo da bu - giar-do! Qui c'e-ran due scel-
leer of false de - ni-al! Here-in were shil-lings
p
(vuotando una tasca del farsetto)
(turning out one of his pockets)
-li - ni del re-gno d'E-do - ar-do e sei mez-ze co-
twain Of our good King Ed-ward's reign, and six groats, mill-groats of

Dr. C
-ro - ne. Non.......... ne ri - man più se - gno.
sil - ver, All these the knaves did pil - fer.
(a Falstaff, brandendo la scopa)
(to Falstaff, brandishing the broom)
PIS.
Pa - dron, chie - do di
Sir John, I crave your
(al Dr. Cajus, con forza)
(to Caius, furiously)
P
bat - ter - mi con que - st'ar - ma di le - gno. Vi smen-
leave to fight him with this wood - en wea - pon. I de-
(4)
Dr. C.
Bi - fol - co! tu par - li a un gen - ti -
Ple - bei - an! in - sult a man of
P
-ti - sco!
-fy thee!

D.C
-luo-mo! Pez-zen-te! Can!
breed-ing! Vile beg-gar! Dog!
P
Gon-zo! Be-stia!
Block-head! Ras-cal!
mf
ff
D.C
Spau-rac-chio! Ger-mo-glio di man-
Thou scare-crow! Foul blos-som of man-
P
Vil! Gno-mo!
Brute! Pickthank!
D.C
-dràgora! Tu. Sì. (con un cenno frena Pistola)
-dragora! Thou. Aye! (checking Pistol with a gesture)
FAL.
Ehi
What
(scagliandosi contro il Dottore)
(attacking Caius)
P
Chi? Ri-pe-ti! Sa-et-te!!!
Who? Re-peat it! Be off then!!!

FAL
là! Pi _ sto _ la! Non sca _ ri_car _ ti
ho! Pi _ stol! Blus _ ter and brawl not
dim.
p
(chiamando Bardolfo)
(calling Bardolph)
qui. Bar_dol _ fo! Chi ha vuo_ta _ te le ta_sche a quel Mes_
here! Good Bardolph! Who was't that emp_tied the poc_kets of this
p
D.r C
marcato
(scattando)
(angrily)
ANCORA POCO MENO
Fu.l'un dei du e.
'Twas one or both of them.
(con serenità indicando il D.r Cajus)
(smilingly pointing to Caius)
BAR.
Co_stui be _ ve, poi pel gran
See this to _ per, who drinking
_se _ re?
wor _ thy?
(5)
ANCORA POCO MENO
ppp calmo

B
be - re Perde i suoi cin-que sen - si, poi ti nar-ra u-na
deep - ly Stu-pi-fies all his sen - ses, and then tells us a
8
B
fa - vo-la Ch'egli ha so - gna - to men - tre dor - mì sot-to la
fa - ble Which, ve - ry like, he dreamt while a - sleep un-der the
B
ta-vo-la.
ta - ble.
MENO MOSSO
(al D.r Cajus)
(to Caius)
FAL.
L'o - di? Se ti ca - pa - ci - ti, del ver............ tu sei si -
Hark - en! and pray col - lect yourself. The truth............ has now been
MENO MOSSO

FAL
-cu - ro. I fat - ti son ne-ga - ti. Vat-te-ne in pa -
told you. Dis-proved your ac - cu - sa - tions. Depart and drink no
p
p
Dr C.
Giu - ro che se mai m'u-bri - a-co an-co - ra al-l'o-ste-
Hear me if I e - ver a - gain get drunk in strange so-
FAL
-ce.
more!
f
Dr C
-ri - a Sa - rà fra gen - te o - ne - sta,
-ci - e - ty 'Twill be with hon - est peo - ple,
f
COME PRIMA
Dr C
so - bria, ci - vi - - - - - - le e
pi - ous, and no - - - - - ted for so-
COME PRIMA
(6)
f

Dr C
pi
bri
e
pp
(esce dalla porta a sinistra)
(exit L)
Dr C
a.
ty.
BAR.
(come Pistola)
(as Pistol)
A
«A
(battendo il tempo, mentre accompagna sull'uscio il Dr Cajus)
(beating time, while escorting Caius to the door)
PIS.
A
«A
B
men.
men.»
FAL.
Ces - si l'an - ti - fo - na. La ur - la - te in con - trat -
Cease your an - ti - phonals. Ye drone them out of
P
men.
men.»
p

PRESTO
FAL
tempo.
time.
PRESTO
ff
PIÙ LENTO
(con intenzione)
(solemnly)
L'arte sta in questa
Virtue lies in this
PIÙ LENTO
massima:
axiom:
legato
ppp
«Rubar con garbo e a tempo.»
"Steal gently and, opportunely."
ppp
legato
f
ALL.º COME PRIMA
(con disprezzo)
(scornfully)
ff
Siete dei rozzi artisti.
You are but clumsy craftsmen.
(impone silenzio)
(imposing silence)
Sss.
Hush!
BAR.
A..................................
A..................................
PIS.
A..................................
A..................................
ALL.º COME PRIMA

(si mette ad esaminare il conto dell'Oste)
(looking over the Host's reckoning)
FAL
mf
f
(7)
6 pol_li: 6 scel_li_ni. 30 giarre di Xe_res:
Six pullets: six shillings. Thir_ty flagons of Sher_ry:
p
fp
(a Bardolfo gettandogli la borsa)
(throwing his purse to Bardolph)
più forte
2 li_re. 3 tac_chi_ni... Fru_ga nel_la mia bor_sa._
two no_bles. three good groats... What is left in my purse?...
ALLEGRO ♩ = 100
(si rimette a leggere)
(recommences reading)
ancora parlante
un fil di voce
2 fa_gia_ni. Un' ac_
Brace of pheasants. One an_
ALLEGRO ♩ = 100
pp

FAL
_ciu - - - - ga.
_cho - - - - vy.
Fru_ga. Fru_ga.
Rummage! Rummage!
BAR. (estrae dalla borsa le monete e le conta sul tavolo)
(empties the purse and counts its contents on the table)
Un mark, un mark, un penny. Ho fru_ga_to.
A mark, a mark, a penny. I'verummaged.
8
a tempo
pp
FAL.
(alzandosi)
(rising)
Sei la mia di_stru_
Var_let,thou art my
BAR. (gettando la borsa sul tavolo)
(throwing the purse on the table)
Qui non c'è più uno spicciolo.
Here's not a_no_ther sti_ver!
FAL
_zio_ne! Spen_do o_gni set_te gior_ni die_ci ghi_ne_e! Be_
ru_in! Week in,week out, I spend a matter of ten gui_neas! Foul
f
p
ff

FAL
- o - ne!
to - per!
p
MODERATO ♩ : 80
legato
So che se andiam, la not - - te, di ta - ver - - na in ta -
As from inn to inn we wan - - der, night_ly stagger_ing as best we
MODERATO ♩ : 80
PPP legato
- ver - - - na Quel tuo na - so ar - den -
may.................................... Thy pro - bos - cis yields a
string.
- tis - si - mo mi ser - ve da lan - ter - na; Ma quel ri - spar - mio
lu_rid light That serves to guide me on my way; But what I save in
string. poco a poco
tr

sempre string. poco a poco
FAL
d'o_lio tu lo con_su_mi in vi_no. Son tren_t'an _ ni che ab_
lampoil I waste on thee in wine. For thir _ ty long
sempre string. poco a poco
mf
f
_be _ ve _ ro quel fun _ go por_po_ri _ no! Co_sti
years I have nourish_éd that pur_ple spun_gy nose of thine........... Thou'rt too
(a Bardolfo)
(to Bardolph)
mf
PIÙ MOSSO ♩= 132
(a Pistola)
(to Pistol)
troppo... E tu pu_re.
cost_ly... And thou al_so.
(gridando)
(loudly)
O _ ste! un'al_tra bot_
Host there! bring hither a
f
ff
_ti_glia.
flagon!
ff

(a Bardolfo e Pistola)
(to Bardolph and Pistol)
FAL
Mi strug - ge - te le car - ni.
On my sub - stance ye bat - ten.
(8)
f
dim.
pp
FAL
Se Fal - staff s'as - sot - ti - glia
Should Fal - staff cease to fat - ten
ppp
FAL
Non è più lui, nes - sun più
No man would fear, no wo - man
FAL
l'a - ma; in que - - st'ad -
love me; For this fair

PIÙ LENTO ♩= 92
Maestoso
FAL
_do - - me .... C'è un miglia - io di
round - - ness .... Wins me fame and suc_
PIÙ LENTO ♩= 92
f Maestoso
FAL
lin - gue che an_nun - cia_no il mio no_me!
_cess in the realms of Mars and Ve_nus!
(acclamando)
(applauding)
PIS.
Fal_staff im_
Fal_staff the
(guardandosi e toccandosi l'addome)
(contemplating and stroking his paunch)
FAL
Que_st'è il mio
This is my
(acclamando)
(applauding)
BAR.
E_nor - me Fal_staff!
Stupen - dous Fal_staff!
P
_men - so!
might - y!

FAL
re - - - - - - - gno. Lo in_gran - - di
King - - - - - dom. I will in
ff
pp cres.
FAL
_rò.
BAR. _crease it.
Im_men - - so Fal - - - - - - -
Stu_pen - - dous Fal - - - - - - -
PIS.
E_nor - - me Fal - - - - - - -
Stu_pen - - dous Fal - - - - - - -
ff
FAL
Ma è tem - po d'as_sot_ti_gliar l'in_ ge_ gno...
But now it is time our wits to shar_pen...
B
_staff!
_staff!
Assot_ti_
And so we
P
_staff!
_staff!
Assot_ti_
And so we
p

LO STESSO TEMPO
(tutti e tre in crocchio)
(all three together)
FAL
V'è no-to un tal, qui del pa-
Say, do ye know a Wind-sor
B
-gliam.
will.
P
-gliam.
will.
(9)
LO STESSO TEMPO
pp
FAL
-e - se ch'ha no - me Ford?
towns - man whose name is Ford?
B
Sì.
Yes.
P
Sì.
Yes.
FAL
Quel-l'uom è un gran bor - ghe - se...
A man of in-flu-ence and wealth is he...
P
Più li-be-ral d'un
More gen-er-ous than

FAL
Sua moglie è bel - la.
A handsome wife hath he.
B
È un Lord!
A Prince!
P
Cre - so.
Crœ - sus.
E tien lo
Who keeps the
f
POCO PIÙ MOSSO ♩ = 100
dolciss.
FAL
È quel - - la!
'Tis she, 'tis she!
O a - -
Oh
P
scri - gno.
strongbox key.
POCO PIÙ MOSSO ♩ = 100
dolce
f
p
pp
dolciss.
FAL
- mor! Sguardo di stel - la! Col - lo di
love! With star - like eyes, And swan - like

FAL
ci_gno! e il lab_bro? un fior! Un fior che
throat! and lips? like flow'rs! Like laugh_ing
ri - - - - - - de. A_li_ce è il
scar - - - - - let flow'rs. Her name is
leggero
m.s.
no_me, e un gior - no co_me pas_sar mi
A_lice, One morn - ing as I passed by, be_
p dolce con espress.
vi_de ne'suoi pa_rag_gi... ri - se... M'ar_
_neath her op - en win_dow she smiled... Love's
dolciss.
ff
pp
tr

POCO PIÙ MOSSO ♩: 112
FAL
-de - a l'estro ama - to - rio nel cor. La
ar - dour kin - dled in my heart. The
(10)
POCO PIÙ MOSSO ♩: 112
f
mf
FAL
Dea vi - bra - va rag-gi di spec - chio u-sto - rio su
god - dess from her eye dis-char - ged a burn-ing dart At
f
FAL
più calmo
me, su me,.. sul fian - co
me, at me,.. at this vast
f
mf
(pavoneggiandosi)
(boastfully)
FAL
bal-do, sul gran to - ra-ce, Sul ma - schio piè, sul fu - sto
bo-som of huge di - men-sion, this well - turned leg, and come - ly

dolciss.
♩ = 100
FAL
sal-do, er - to, ca-pa - ce; E il suo de - sir in
figure, stal - wart, ca-pa-cious; And her de - sire re -
p
lei ful-ge - a sì al mio con - giun - to Che pa-re - a
-vealed it - self so plain - ly in her glan - ces They seemed to
(in falsetto)
(in falsetto voice)
dir: Io son di Sir John Fal - - staff. E a
say: "I love thee Sir John Fal - - staff." A -
BAR.
f
Pun - to.
Just so!
(11)

FAL
ca - po.- U - n'al - tra;
- no - ther there is, too;
B
u - n'al - tra!
an - oth - er!
PIS.
u-
an-
ppp leggere e staccate molto
FAL
E que - sta ha no - me: Mar - ghe - ri - ta.
And Mar - ge - ry is her sweet name.
P
f
- n'al - tra!
- oth - er!
La chia - man
They call her
FAL
È an - ch'es - sa de' miei pre - gi in - va -
Aye! she al - so by my charms is sub - ju -
P
Meg.
Meg.

FAL
BAR.
B
P
marcate
marcate
f
p
ghi - ta. E an_ch'es_sa tien le chia_vi del_lo scri - -
ga - ted. And she, too, has the keep_ing of the strong - - - -
del_lo scri - - -
of the strong - - -
del_lo scri - - -
of the strong - - -
gno. Co_sto - - ro sa_
box! These beau - - - ties shall
gno.
box!
gno.
box!
ran le mie Gol_con_de e le mie Co - - - - - ste
stand me in good stead as my Gol_con - - - - da, and

(facendosi ammirare)
(soliciting admiration)
FAL
d'o - - - - ro! Guar -
Gold - - - - coast! Be -
p
cres.
FAL
- da - te. Io so-no an-co-ra u-na pia-cen - te e - sta - te di San Mar -
- hold me! I still may claim to be a plea - sant sum - mer of St.
tr
p
mezza voce
FAL
- ti - - - - - - - - no. A voi, due let-tere infuo -
Mar - - - - - - - - tin. Two fer - vid let-ters ye shall
pp
(dà a Bardolfo una delle due lettere che sono sul tavolo)
(gives Bardolph a letter)
PIÙ ANIMATO
REC.vo
Presto
FAL
- ca - te. Tu por - ta que - sta a
car - ry. Con - vey thou this to
(12)
PIÙ ANIMATO
f
REC.vo

(Bardolfo prende la lettera)
(Bardolph takes the letter)
FAL
Meg; ten_tiam la sua vir_tù. Già ve_do che il tuo
Meg; her vir_tue let us test. With zeal I see thy
f
FAL
na_so ar_de di ze_lo.
nose burns like a bea_con.
f
(a Pistola, porgendogli l'altra lettera)
(gives Pistol the other letter)
FAL
PIS.
E tu por_ta que_sta ad A_li_ce.
And thou car_ry this to fair A_lice. Shall
(ricusando con dignità)
(with dignity)
P
Por_to u_na spa_da al fian_co. Non so_no un Mes_ser Pan_da_rus. Ri_
I by my side wear steel, And play the part of Pan_da_rus? No,
p
p

MENO ANIMATO
(con calma sprezzante)
(contemptuously)
FAL.
Sal_tim_ban_co.
Pal_try rascal.
(avanzandosi e gettando la lettera sul tavolo)
(throws letter on table)
BAR.
Sir John, in que_st'in_
Sir John, in this in_
P
_cu_so.
ne_ver!
(13)
MENO ANIMATO
pp molto staccato
(interrompendolo)
(interrupting)
FAL
Chi?
By whom?
B
_tri_go non posso accon_di_scen_der_vi. Lo vie_ta... L'o_
_trigue to aid you I'm for_bid_den, And strict_ly... My
ALL.o PRESTO ♩ = 132
(vedendo il paggio Robin che entra dal fondo)
(to Robin who enters C)
(a Bardolfo e Pistola)
(to Bardolph and Pistol)
FAL
Ehi! pag_gio! An_da_te a im_
Ho! page_boy! Be off and
B
_no_re!
ho_nour!
ALL.o PRESTO ♩ = 132
p

(al Paggio)
(to Robin)
FAL
-pen-der-vi Ma non più a me.- Due
hang yourselves, but not on me! Two
FAL
let-te-re, pren-di, per due si-gno-re. Con-se-gna
letters, take them for two fair la-dies. Convey them
f
FAL
to-sto, cor-ri, via, le-sto, va!- le-sto,
quick-ly, hurry, fly, hasten, go, brisk-ly
cresc.
(il Paggio esce)
(exit Robin)
(a Pistola e Bardolfo)
(to Pistol and Bardolph)
FAL
va, va, va, va, va! L'O-
go, go, go, go, go! Your
ff

ALL.° SOSTENUTO
♩ = 112
FAL
(14)
- no - re! La - dri! Voi sta - te
ho - nour! Ruf - fians! Ye dare to
pp
f
ff
li - gi al - l'o - nor vo - stro, voi!.. Clo - a - - - che d'i - gno -
prate a - bout your ho - nour Ye!.. Ye sinks.......................... of sin and
mf
- mi - nia, quan - - do, non sem - pre, noi...................... Possiam star
vile - ness, when................. 'tis not al - ways we.......................... Can keep our
MENO MOSSO ♩ = 100
li - gi al no - stro. Io stes - so, sì, i - o, i - o, De - vo ta - lor da un
own un - tainted! E'en I Sirs, yes, I... I... Must now and then pe -
p

FAL
la - to por - re il ti - mor di Di - o E, per ne - ces - si -
- ti - tion Hea - ven to close an eye.......... And am constrained, my -
- tà,.. svi - ar l'o - no - - - -
- self.. to pawn my ho - - - -
leggeriss.
- - re, u - - sa - re stra - ta - gem - mi ed e -
- - nour, to ham - per My dis - course with lies and
p
- qui - vo - ci, destreggiar, bordeg - gia - re. E
stra - ta - gems, with the truth, oft to tam - per. And

pp
FAL
voi,.. coi vo_stri
Ye!.. with rag_ged
pp
f
FAL
cen _ ci e col_l'oc_chia _ _ ta
doub _ lets, vile grins and foul gri _ _ _
fp e molto staccato
FAL
tôr _ ta da gat _ to par _ _ do e i
_ ma _ ces Like filth _ y pole _ _ cats; your
FAL
fe _ _ _ ti di sghi_gnaz _ zi a _ ve_te a
vi _ _ _ ces plain_ly stamped on your dir _ ty

FAL
scor - ta il vo_stro O_nor! Che o_no _ re?! che o_
fa - ces, Of ho_nour boast! Of ho_nour! What
- nor? che o_nor! che cian_cia! che ba _ ja!
ho_nour? what ho_nour! what hum_bug! What rub_bish!
MENO MOSSO (voce grossa) legato
(15)
Può l'o - no - re........... ri - em - pir - vi la
Say, can ho - nour........... fill a paunch that is
MENO MOSSO

FAL
pan - cia? No.- Può l'o - nor ri - met - ter - vi u - no
emp - ty? No.- Can it mend a leg or an arm that is
pp
stin - co?- Non può. Nè un pie - de?- No.- Nè un di - to?- No.- Nè un ca -
bro - ken?- It can't. A fin - ger?- No. A thumbnail? No.- Nor a
- pel - lo? No.- L'o - nor non è chi -
feather? No.- For ho - nour's not a
ppp
- rur - go.- Che è dun - que?- U - na pa -
sur - geon.- What is it?- A mere ex -
f
p

POCO PIÙ MOSSO
FAL
- ro - la. Che c'è in que-sta pa-
- pres-sion. Of what is honour com-
POCO PIÙ MOSSO
p
f
ALL.° AGITATO ♩= 120
- ro - la? -
- poun - ded? -
leggerissimo
C'è del-l'a-ria che
Of in-vis-i-ble
pp
ppp
vo - la.
e - ther.
fff
Bel co-
Grand in-
f
a mezza voce
- strutto!
- vention!
L'o-
Hath
p

COME PRIMA
FAL
_no _ re lo può sen_tir chi è mor_to? No.- Vi _ ve sol coi
he it he who died o' Thurs_day? No.- Lives it with the
COME PRIMA
pp
PIÙ MOSSO ♩: 126
p
vi_vi?.. Nep_pu_re: per_chè a
liv_ing?.. Neither; be_cause, a_
PIÙ MOSSO ♩: 126
pp
legg. e stacc.
pp
a mezza voce
tor _ to Lo gon_fian le lu_sin_ghe, lo cor_rom _ pe l'or_
_las! hu_man van_i_ty cor_rupts it, human pride un_der_
_go_glio, L'ammor _ ban le ca_lun_nie;
_mines it, and cal _ um_ny des_troys it!
f

POCO PIÙ MOSSO
FAL
e per me non ne vo_glio, no! non ne
As for me, I will none on't, no! I will
(16)
POCO PIÙ MOSSO
vo_glio, no,.................................. no, no!
none on't, no,.................................. no, no!
FAL.
Ma, per tor_na_re a voi, fur_fan_ti, ho at_te_so troppo, E vi di_
But to return to you, ye scoundrels too oft for_gi_ven, I now dis_

(prende la scopa e li scaccia furiosamente)
(seizes broom and drives them round the stage)
FAL
-scac-cio.
-miss ye!
O-là!
Begone!
(17)
mf
Le-sti! Le-sti! al ga-lop-po! al ga-
Swift-ly! brisk-ly! hur-ry-scur-ry, hur-ry-
-lop-po! Il ca-pe-stro assai be-ne vi
-scur-ry! From the hal-ter 'tis time ye should

FAL
sta. Le-sti, le-sti, le-sti, al ga-lop-po,al ga-
swing! Van-ish, van-ish, swift-ly, hur-ry-scur-ry, hur-ry-
FAL
-lop-po! La-dri! la-dri! la-dri!
-scur-ry! Bri-gands! Ban-dits! rob-bers!
ff
FAL
la-dri! Via di qua, via di qua! via di qua! via di
ras-cals! Hie a-way! Hie a-way! hie a-way! hie a-

(Bardolfo e Pistola fuggono dalla porta di sinistra, Falstaff li insegue)
(Bardolph and Pistol run out, followed by Falstaff)

Fine della Parte I.ª Atto I.º
End of Part I. Act I.

ATTO PRIMO-PARTE SECONDA

Act First - Part Second

GIARDINO

A GARDEN

A sinistra la casa di Ford. Gruppi d'alberi nel centro della scena.
Ford's house L., Trees C.

ALICE, NANNETTA, MEG, Mrs QUICKLY, *poi* FORD.
FENTON, Dr CAJUS, BARDOLFO, PISTOLA.
Mrs FORD, ANNE, Mrs PAGE, DAME QUICKLY; *afterwards* FORD.
FENTON, Dr CAIUS, BARDOLPH, *and* PISTOL.

(Meg con M.rs Quickly da destra_S'avviano verso la casa di Ford, e sulla soglia s'imbattono in Alice e Nannetta che stanno per escire)

(Enter M.rs Page and Dame Quickly R. crossing stage towards Ford's house, on the threshold of which they meet M.rs Ford and Anne, coming out)

(a Meg)
(to M.rs Page)
A
Giungi in buon
Thou · comest
(accarezzando la guancia di Nannetta)
(stroking Anne's cheek)
Q
Bot_ton di ro - - - sa!
Sweet blushing rose - - - bud!
A
pun_to. M'ac_ca_de un fat - to da tra_se - co_lar.
apt_ly. Some_thing sur_pri_sing just has happened to me.
(a Meg)
(tho M.rs Page)
Nar_ra il tuo
Tell us your
NAN.
ANNE
(pure avvicinandosi)
(approaching)
Che co_sa?
What is it
MEG
An_che a me.
And to me.
(che parlava con Nannetta, avvicinandosi con curiosità)
(who had been speaking to Anne, approaches evincing curiosity)
QUIC.
Che?
What?
p

(a tutte in crocchio)
(to the others grouped)
A
ca_so.
sto_ry.
Pro_mes - sa..........
But pro - mise it
N
Nar - ra, narra.
Tell us, pray tell us.
M
Nar_ra il tu_o.
Tell us yours.
Q
Nar_ra, nar_ra.
Tell us, tell us.
pp
pp
A
.... di non ciar - lar.
shall no fur - ther go.
M
Ti pa - re?!
Of course not!
Q
Oi_
Why,

A
Dun - que:
Hear, then:
Q
-bò!.......... Vi pa - re?!
no!.......... Of course not!
(20)
A
se m'ac - con-cias - si
could I be per-sua - ded
A
a entrar nei rei pro - po - si-ti del diavo-lo, sa-
to yield to vile temp - ta-tions of the E-vil One, I
A
-rei......... pro-mos - sa al gra - do di Ca-val - le-
might be ad-vanced to the sta - tion of a Knight's gay

A
res - - - sa! Mot_teg_gi.
La - - - dy! What non sense!
(cerca in tasca una lettera)
(searches her pocket for a letter)
MEG
An - ch'io.. Non più pa - ro -
And I too No more I pray
(estrae la lettera)
(brings out the letter)
M
_le Chè qui sciu _ pia _ mo la lu _ ce del so_le.
ye; We may not waste all the morn _ ing in chatter.
leggero
pp
(cerca in tasca)
(feels in her pocket)
ALI.
An _ ch'i_o.
I al_so.
NAN.
Oh!!
Oh!!
M
Ho u_na let_te_ra.
I've a let_ter.
QUIC.
Oh!!
Oh!!
f

(dà la lettera a Meg)
(gives letter to Meg)
A
Leg-gi.
Read it!
(scambia la lettera con quella d'Alice)
(gives her letter to Alice)
M
Leg-gi.
Read it!
pp
AND.te SOSTENUTO ♪=126
(21)
(leggendo la lettera d'Alice)
(reading Alice's letter)
Ful-gi-da A-li-ce! a-mor t'offro... Ma
«Resplendent Alice, my love I tender...» How
p
ALLEGRO ♩=126
Lo stesso movimento
co-me?! Che co-sa di-ce?
is this? What does he say?
Sal-vo che il no-me la fra-se è u-gua-le.
Barring the name, the words are the same...

(cogli occhi sulla lettera che tiene in mano)
(reads from Mrs Ford's letter)
ALI.
Come Prima
ALL°. Come Prima
Ful-gi-da Meg! a-mor t'offro...
«Resplendent Meg! my love I tender..»
Qua
Here
(continuando sul proprio foglio la lettura d'Alice)
(continuing from the other letter)
M
a-mor bra-mo.
«Love I long for.»
Come Prima
ALL°. Come Prima
p
AND.te Come Prima
A
Meg, là A-li-ce.
«Meg,» there «A-lice.»
M
È tal e qua-le.
One and the same
AND.te Come Prima
pp
p
(come prima)
(as before)
A
t'a-mo.
«love thee!»
(come prima)
(as before)
M
non domandar per-chè, ma dim-mi:
«Ah! do not ask me why, but say: I»

ALL.° Come Prima
A
Pur non gli of-fer - si ca - gion.
why thus in-sult - ed am I?
M
Il no-stro ca - so è pur
The thing is strange - ly per -
ALL.° Come Prima
(22)
(tutte in gruppo addosso alle lettere, confrontandole e maneggiandole con curiosità)
(all grouped round the letters, curiously handling and comparing them)
M
stra-no.
-plexing.
QUIC.
Guardiam con flem - - - - - ma.
Let's read it calm - - - - - ly.
ALI.
Lo stes-so in -
The self-same
M
Gli stes-si ver - si.
The self-same ver - ses.

AND.te Come Prima
A
_chiostro.
NAN.
pa_per.
Lo stes_so stem_ma.
The same es_ cut_cheon.
QUIC.
La stes_sa ma_no.
The same hand_writing.
AND.te Come Prima
mf
(leggendo insieme ciascuna sulla propria lettera)
(reading together from both letters)
A
...sei la ga_ia co_ma_re, il com_par ga_io son
«Thour't a gay mer_ry gos_sip, I'm brisk and sup_ple, so
MEG.
...sei la ga_ia co_ma_re, il com_par ga_io son
«Thour't a gay mer_ry gos_sip, I'm brisk and sup_ple, so
p
A
i_o, e fra noi due....... fac_ciamo il pa_
we two right_ly are sui_ted for a coup_
M
i_o, e fra noi due....... fac_ciamo il pa_
we two right_ly are sui_ted for a coup_

ALL.º Come Prima
Sempre lo stesso movimento
A
-io. Già.
Faccia - mo il
NAN.
-le.» Aye!
«Let us be
Lui, lei, te.
He, she, thee.
M
-io.
QUIC.
-le.»
Un paio in tre.
A pair in three!
ALL.º Come Prima
Sempre lo stesso movimento
p
pp
pa - - io .... in un a - mor ri -
coup - - led .... in Cupid's ro - - seate
(tutte col naso sulle lettere)
(all closely examining letters)
-den - - te di don - na
fet - - ters A love - ly

(con caricatura)
(comically)
dolciss.
A
bel - la e d'uom ap_pa_ri_scen - te e il vi_so
wo - man, a man who has few bet - ters. And thy bright
NAN.
ap_pa_ri_scen - te.
«who has few bet - ters.»
MEG
ap_pa_ri_scen - te.
«who has few bet - ters.»
QUIC.
ap_pa_ri_scen - te.
«who has few bet - ters.»
pp
p
tu - o su me ri_splen_de_rà co - me u_na
vis - age on me shall shed its light, like some fair
stel - - la co_me u_na stel - la sul - l'im_men - si
star,............... like some sweet star that spark_les all the
ff
tr
f

ALL.° Più Presto 𝅗𝅥 = 92
(ridendo)
(laughing)
A
_tà. Ah! ah! ah! ah! ah! ah! ah! ah! ah! ah! ah! ah! ah! ah! ah!
night!» Ah! ah! ah! ah! ah! ah! ah! ah! ah! ah! ah! ah! ah! ah! ah!
NAN.
Ah! ah! ah! ah! ah! ah! ah! ah! ah! ah! ah! ah! ah! ah! ah!
Ah! ah! ah! ah! ah! ah! ah! ah! ah! ah! ah! ah! ah! ah! ah!
MEG
Ah! ah! ah! ah! ah! ah! ah! ah! ah! ah! ah! ah! ah! ah! ah!
Ah! ah! ah! ah! ah! ah! ah! ah! ah! ah! ah! ah! ah! ah! ah!
QUIC.
Ah! ah! ah! ah! ah! ah! ah! ah! ah! ah! ah! ah! ah! ah! ah!
Ah! ah! ah! ah! ah! ah! ah! ah! ah! ah! ah! ah! ah! ah! ah!
ALL.° Più Presto 𝅗𝅥 = 92
f
senza misura
parlato
A
ah! Ri_spondi al tuo scudie_re, John Falstaff Ca _ va _ lie_re.
ah! «Re_ply to your es_qui_re, John Falstaff, Knight of the Shi_re!...»
N
ah!
ah!
M
ah!
ah!
Q
ah!
ah!
col canto

ALLEGRO ♩= 120
A
Mostro!
Monster!
N
Mostro! Mostro!
Monster! Monster!
M
Mostro! Mostro!
Monster! Monster!
Q
Mostro! Mostro!
Monster! Monster!
ALLEGRO ♩= 120
(23)
f
leggero
pp
A
Dobbiam gab_barlo. E metterlo in bur_
He must be punished. Right merri_ly we'll
N
E far_ne chiasso.
And that se_vere_ly.
M
Q

A
N
M
Q
-let-ta!
fool him!
Oh! oh! che spas-so!
I'd like to, dear-ly!
Che ven-
And af-
Chealle-gri-a!
We will spite him!
♩.=100
UN POCO MENO
(rivolgendosi ora all'una, ora all'altra)
(turning first to one and then to another)
f
Quel-l'o-tre! quel ti-
Though shaped like a bar-
-det-ta!
-fright him!
(ad Alice)
(to Mrs Ford)
Quel-l'uom è un can-
A moun-tain of
UN POCO MENO ♩.=100
(24)

A
N
M
Q
- - - no!
- - - rel!
(ad Alice)
(to M.rs Ford)
Se or_di_sciu_na
Your debt you must
Un flut_to in tem - pe_sta Git_tò sul_la
This bird of ill o_men Not long here shall
_no - ne,
bat - ter,
p
Quel Re del_le pan - - - - - cie,
He fain would be court - - - - - ing,
bur_la
pay him
re_na
tar_ry
Di Windsor co_
A_way he must
Se scop_pia ci spac - cia,
No hog could be fat - ter,
ben staccato
f

A
N
M
Q
Ci ha anco - ra le
His car - case dis -
Vo'anch'io la mia par - te, Se or - di - sci u - na
A trick we must play him, Your debt you must
- de - sta Vo - ra - ce ba - le - na, Co - de - sta vo -
car - ry His ug - ly ab - do - men, A - way he must
mf
cian - ce Del bel va - gheg - gi - no. Quel -
- por - ting in splen - did ap - pa - rel. The
bur - la Vo'an - ch'io la mia par - te,
pay him, A trick we must play him,
- ra - ce, Vo - ra - ce ba - le - na.
car - ry His ug - ly ab - do - men.
Se scop - pia ci
No hog could be

A
-l'o - tre! quel ti - no! Quel -
bar - rel! the hogs - head! The
N
Vo'an-ch'i - o, vo'an-ch'i - o,
A trick we must play him,
M
Di Wind - sor co - de - sta
A - way he must car - ry
Q
spac - cia, Se scop - pia, se
fat - ter, be fat - ter, be
A
-l'o - tre! Quel ti - no!
hogshead! The bar - rel!
N
anch'io la mia par - te.
A trick we must play him.
M
Vo - ra - ce ba - le - na.
His ug - ly ab - do - men.
Q
scop - pia, ci spac - cia.
fat - ter, be fat - ter.
mf

PIÙ MODERATO ♩.=88
sottovoce
A
Quel - l'o - tre! quel ti - no! Quel Re del - le
Though shaped like a bar - rel, He fain would be
sottovoce
N
Se or - di - sci u - na bur - la, Vo'an - ch'io la mia
Your debt you must pay him, A trick we must
sottovoce
M
Quel - l'uom è un can - no - ne, Se scop - pia ci
That bird of ill - o - men, Not long here shall
sottovoce
Q
Un flut - to in tem - pe - sta Git - tò sul - la
A moun - tain of bat - ter, No hog could be
PIÙ MODERATO ♩.=88
(25)
ppp
A
pan - cie, Ci ha an - co - ra le cian - ce Del bel va - gheg -
cour - ting, His car - case dis - por - ting In splen - did ap -
N
par - te. Con - vie - ne con - dur - la Con sen - no, con
play him, De - ceive and be - tray him, Per - plex and ef -
M
spac - cia. Co - lui, se l'ab - brac - cia, Ti schiac - cia Giu -
tar - ry, A - way he must car - ry His ug - ly ab -
Q
re - na Di Wind - sor co - de - sta Vo - ra - ce ba -
fat - ter; Your hand should he take it, to pie - ces he'd

A
N
M
Q
-gi - no. E l'o - lio gli sgoccio - la Dal - l'a - di - pe un -
-pa - rel. In spite of the grease from his fat hide that
ar - te. L'aggua - to o - v'ei sdruccio - la Con - vien ch'ei non
-fray him. The trap we pre - pare will be cun - ning - ly
-no - ne. Ma cer - to si spappo - la Quel mo - stro a un tuo
-do - men. With smile and with wi - le And with sub - tle de -
-le - na. Ma qui non ha spa - zio Da far - si più
break it. In vain the dull boo - by to woo may en -
A
N
M
Q
-tic - cio E an - co - ra ei ne snoccio - la La stro - fa e il bis -
oo - zes, To leave us in peace He per - ver - sely re -
scer - na. Già pre - se u - na luccio - la Per u - na lan -
bai - ted, Once caught in our snare he will find him - self
cen - no E cor - re al - la trap - po - la E per - de il suo
-lu - sion, The wretch we'll be - guile to his ut - ter con -
pin - gue Ne fe - cer già stra - zio Le vo - stre tre
-dea - vour, For such a fat loo - by You're vast - ly too

A
_tic_cio! La_sciam ch'ei le pron_te Sue ciar_le ne
_fu_ses! He can_not es_cape from the pit_fall we'll
N
_ter_na. Che il gio_co ri_e_sca Per_ciò più non
ma_ted. The jest must suc_ceed, As we're all of us
M
sen_no. Po_ten_za d'un fra_gil Sor_ri_so di
_fu_sion. His hopes we must flat_ter, En_cou_rage his
Q
lin_gue. Tre lin_gue più al_le_gre D'un tril_lo di
cle_ver. Your eyes and lips scat_ter Whole flights of keen
A
spif_fe_ri, Fa_rà co_me i pif_fe_ri Che sce_ser dal
set him, Nor out of the scrape In_to which we will
N
du_bi_to Per co_glier_lo su_bi_to Bi_so_gna of_frir
in it; I'm long_ing, in_deed, Straight a_way to be_
M
don_na! Scï_en_za d'un a_gi_le Mo_ven_za di
woo_ing, Then ut_ter_ly shat_ter And work his un_
Q
nacche_re, Che spar_gon più chiacchiere Di sei cin_gal_
ar_rows, Your tongues make more chat_ter than le_gions of
p

(entrano vivamente da destra: Ford, seguito dal D.r Cajus; poi Bardolfo, poi Pistola, poi Fenton)
(enter briskly R., Ford, Caius, Bardolph, Pistol, Fenton last)

A
guin - do - lo, più le - sto, più
trice him, I'll hand - some - ly
N
-ga - gno - li, ve - dre - mo, ve -
-solve him, But we will dis -
M
fre - go - la, Ve - dre - mo, ve -
pas - sion, And then his hot
Q
l'i - la - ri, Co - sì so - glion
mea - sure, So laugh with - out
A
le - sto, Lo fac - cio gi -
trice him, Pray trust me for
N
-dre - mo, Quel - l'or - co su -
-solve him, That blad - der of
M
-dre - mo, ve - dre - mo svam -
pas - sion will spee - di - ly
Q
l'i - la - ri Co - ma - ri ciar -
mea - sure Like true Mer - ry

(escono in gruppo da sinistra; ma di tratto in tratto se ne vedrà taluna fra gli alberi del fondo, senza che si accorgano gli uomini)
(Exeunt women L., but are now and then visible among trees C., without being perceived by men)
♩. = 88
LO STESSO TEMPO
A
-rar.
that!
N
-dar.
lard!
M
-par.
cool.
Q
-lar.
Wives!
(parlando tutti a Mr. Ford, a voce bassa, ma concitati)
(all addressing Ford in undertone)
Dr. CAJUS
(a Mr. Ford)
(to Ford)
sottovoce
È un ri-baldo, un fur-bo, un la-dro, Un fur-fan-te, un tur-co, un
He's a liv-ing shame and scandal, He's a Pa-gan, Turk and
BARDOLFO
(a Mr. Ford)
(to Ford)
sottovoce
Falstaff, sì, ri-pe-to,
My cor-rupt and bloat-ed
𝅗𝅥 = 88
LO STESSO MOVIMENTO
(26)
pp

(a Mr. Ford)
(to Ford)
sottovoce
FENTON
Se vo - le - te io non mi
There is naught that would de -
Dr. C
van - da - lo; L'al - tro dì man - dò a soq -
Van - dal; T'o - ther day he broke my
B
giu - ro, sì, ri - pe - to, giu - ro,
mas - ter, I re - peat, my blo - ated
F
pe - ri - to Di ri - dur - lo al - la ra -
- light me More than bring - ing him to
Dr. C
- qua - dro La mia ca - sa e fu u - no
door down, 'Knocked my ser - vants on the
B
giu - ro, (Per mia boc - ca il ciel v'il -
mas - ter, (Fate thro' me your night il -
PISTOLA
(a Mr. Ford)
(to Ford)
sottovoce
Sir John Fal - staff già v'ap -
Fal - staff means to use you

ALI.
Quel - l'o - tre!
The bar - rel!
NAN.
Quel -
The
MEG
Quel - l'o - tre!
The bar - rel!
QUIC.
Quel -
The
FEN
-gio - ne Col - le bru - sche o col - le
rea - son By a few sharp words in
Dr C
scan - da - lo. Se un pro - ces - so og - gi gl'in -
flo - or down. While he haunts this world su -
B
-lu - mi - na)
-lu - mi - na - tes)
(da sè, poi agli altri)
(aside, then to the others)
FORD
Un ron - zio di ve - spe e
In my ears foul fiends are
P
-pre sta, Sir John Fal - staff già v'ap -
vile - ly, Fal - staff means to use you

A
Quel ti - no!
The hogs - head!
N
-l'o - tre! Quel
bar - rel! The
M
Quel ti - no!
The hogs - head!
Q
-l'o - tre! Quel
bar - rel! The
FEN
buo - ne, Col - le bru - sche o col - le
sea - son, Or by forc - ing him to
D.r C
-ta - vo - lo Scon - te - rà le sue ra -
-per - nal 'Twere in vain to try to
B
Con - tro voi, John Fal - staff
Be as - sured that Fal - staff
FOR
d'a - vi - di Ca - la - bron bron - to - la -
mut - ter - ing Fan - cies fraught with fear and
P
-pre - sta, Mes - ser Ford, un gran pe -
vile - ly, This I tell you in pure

A
Quel -
The
N
ti - no! Quel -
hogs - head! The
M
Quel -
The
Q
ti - no! Quel -
hogs - head! The
FEN
buo - ne, E pa - gar - lo al par del
fight me, By a few sharp words in
Dr C
- pi - ne. Ma la sua più de - gna
mend him, So the best thing is to
B
ru - mi - na
ru - mi - nates
FOR
- men - to, Un rom - bar di nem - bi
won - der, O'er my head dark clouds are
P
- ri - co - lo. E vi pen - de sul - la
am - i - ty. If you prove not bold and
pp

A
l'o
hogs
N
l'o
hogs
M
l'o
hogs
Q
l'o
hogs
FEN
me - ri - to, Pa - gar - lo al par del
sea - son, Or by for - cing him to
D.r C
fi - ne Sia d'an - da - re in man del
send him Once for all to realms in -
B
Un pro - get - to al - quan to im -
Pro-jects big with dread dis -
FOR
gra - vi - di D'u - ra - ga - ni è quel ch'io
splut-ter - ing Light - ning flash - es, growls of
P
te - sta Qual - che co - sa a per - pen -
wi - ly, You will scarce a - vert ca -

A
_tre!
_head!
N
_tre!
_head!
M
_tre!
_head!
Q
_tre!
_head!
FEN
me_ri_to. Mi dà co_re e mi sol_ le_ti_ca;
fight me, 'Twere an ex_ploit a_na_to_mical,
Dr C
diavolo. È un ri_bal_do,
_fer_nal. He's a pa_gan,
B
_pu_ro. Son uom d'arme e quell'in_fa_me Più non vo' che v'impoz_
_as_ter. I'm a sol_dier and this tum_our Shall not tempt me to e
FOR
sen_to.
thun_der!
P
_di_co_lo. Mes_ser
_lamity. Mas_ter
p

A
N
M
Q
FEN
(E sarà u_na giostra ga - ia, ga - ia, ga - - -
To reduce his cor_po - ra - tion, cor_po_ra - - -
Dr C
è un ri_bal - do, un turco, un
He's a pa - gan, Turk and
B
_zangheri. Non vor - rei, no, escir dai gangheri Del_l'o_nor per un re_
_bri_e_ty, Nor to cloak his im_pro_pri_e_ty; Which a_grees not with my
FOR
P
Ford, fui già un Ar - migero di quel_l'uom dal_l'ampia
Ford, I once was renitent Fal_staff wrought my de_gra_

A
N
M
Q
FEN
- ia,)
- tion,
Dr. C
la - dro, Se un pro - ces - so og - gi gl'in -
Van - dal. While he haunts this world su -
B
- a me. Mes - ser Ford, l'uom av - vi -
hu - mour. Ma - ster Ford, my time - ly
FOR
Il ce - rè - bro un e - bro al -
Hor - rid thoughts, my rea - son
P
cu - te,
- da - tion,

(più lontane)
(retreating)
A
Quel - l'o - - - - -
The hogs - - - - -
N
Quel - l'o - - - - -
The hogs - - - - -
M
Quel - l'o - - - - -
The hogs - - - - -
Q
Quel - l'o - - - - -
The hogs - - - - -
FEN
Di sfon - dar quel - la ven -
By ju - di - cious per - for -
Dr. C
- ta - vo - lo Scon - te - rà le sue ra -
- per - nal, 'Twere in vain to try to
B
sa - to Non è sal - vo che a me -
warn - ing Lay to heart with out de -
FOR
- lu - ci - na Tur - ba - men - to di pa -
shat - ter - ing, Give my fears no in - ter -
P
Or mi pen - to e mi mo -
Now I'm hum - ble, meek, and

A
- - tre!
- - head!
N
- - tre!
- - head!
M
- - tre!
- - head!
Q
- - tre!
- - head!
FEN
_tra _ ia
_a _ tion
Dr. C
_pi _ ne. Ma la sua più de _ gna
mend him, So the best thing is to
B
_tà. Toc _ ca a voi d'or _ dir l'ag _
_lay, Shape your plans this ve _ ry
FOR
_u _ ra Ciò che in _ tor _ no a me si
_mis _ sion, And the tales these rogues are
P
_ri _ ge _ ro
pen _ i _ tent,

A
Quel ti - - - - -
The bar - - - - -
N
Quel ti - - - - -
The bar - - - - -
M
Quel ti - - - - -
The bar - - - - -
Q
Quel ti - - - - -
The bar - - - - -
FEN
I - per - bo - li - co a - po -
The re - sult would sure be
D.r C
fi - ne Sia d'an - da - re in man del
send him Once for all to realms in -
B
-gua - to Che l'ag - gua - to stor - ne -
morn - ing, Take your mea - sures while you
FOR
buc - ci - na È un su - sur - ro di con -
chat - ter - ing Drive me mad with grim sus -
P
Per ra - gio - ni di sa -
Stri - ving to de - serve sal -

A
- - no!
- - rel!
N
- - no!
- - rel!
M
- - no!
- - rel!
Q
- - no!
- - rel!
FEN
-plet - ti - ca. Col con - si - glio o col - la
co - mi - cal! Good ad - vice I'll of - fer
D.r C
dia - vo - lo. E quei
-fer - nal. And his
B
-ra. Toc - ca a voi
may. Shape your plans
FOR
-giu - ra. Par - lan quat - tro ed u - no a -
-pi - cion. Of these four I know not
P
-lu - te. La mi - nac - cia or v'è sco -
-va - tion. Now you know the truth com -

(le donne si allontanano del tutto)
(exeunt women)

FEN
pp
tu, O lui va per la sua stra_da,
face, And I'll drive my dag-ger through him
Dr. C
pp
_bù, Non son due stin_chi di san_to
_tray, Are a brace of gree_dy rat_traps,
B
pp
_rà, Toc_ca a voi d'or_dir l'ag_gua_to
may. Shape your plans this ve_ry morn_ing,
FOR
pp
f
_rò? Se par_la_ste uno al_la vol_ta, se par_la_ste u_no al_la
heed; If they'd not all speak to _ ge_ther, if they'd not all speak to
P
pp
_ta! Sta_te al_l'er_ta, al_l'er_ta, al_l'er_ta!
_ly, Use your eyes and ears dis_creet_ly,
(27)
poco cres.
FEN
pppp
O l'as_se_gno a Bel_ze_bù, Se lo tro_vo al tu per
If he fails to keep his place, When I meet him face to
Dr. C
pppp
Nè son fio_ri di vir_tù, Non son due stin_chi di
E_ver gap_ing for their prey, Are a brace of gree_dy
B
pppp
Che l'aggua_to stor_ne_rà, Toc_ca a voi d'or_dir l'ag_
Take your measures while you may. Shape your plans this ve_ry
FOR
ppp
vol_ta For_se al_lor v'in_ten_de_rò, Se par_la_ste uno al_la
_ge_ther I should hold them friends in_deed, If they'd not all speak to_
P
pppp
Qui si trat_ta del_l'o_nor, Or, v'è no_to il ciur_ma_
'Tis your ho_nour that's at stake! Ev_ry wise pre_cau_tion
p poco cres.

FEN
tu, O lui va per la sua stra_da, O l'as_se_gno a Bel_ze_
face, I will strike my dagger through him If he fails to keep his
Dr C
san_to, Non son due stin_chi di san_to Nè son fio_ri di vir_
rat traps, Are a brace I gree_dy rat_traps, E_ver gap_ing for their
B
_gua_to, Toc_ca a voi d'or_dir l'ag_gua_to Che l'ag_gua_to stor_ne_
morning, Shape your plans this ve_ry morning, Take your mea_sures while you
FOR
vol_ta, Se par_la_ste uno al_la vol_ta For_se al_lor v'in_ten_de_
_ge_ther, If they'd not all speak to_ge_ther I should hold them friends in_
P
_dor. Sta_te al_l'er_ta, al_l'er_ta, al_l'er_ta Qui si trat_ta del_l'o_
take, Use your eyes and ears dis_creet_ly, 'Tis your ho_nour that's at
Sempre lo stesso tempo
_bù.
place.
_tù.
prey!
_rà.
may!
(a Pistola)
(to Pistol)
_rò.
deed!
Ri_pe_ti.
Say on, friend
(a Mr Ford)
(to Ford)
_nor.
stake!
In due pa_
To speak quite
Sempre lo stesso tempo
ff
(28)

P
-ro - le: L'e - nor - me Fal - staff
plain-ly, Sir John, that imp un -
pp leggero
P
vuo - le En - trar nel vo - stro
-gain - ly, Would, like a roar - ing
P
tet - to, Bec-car-vi la con - sor - te Sfon-dar la cas-sa
bil - low, En-gulf your hoarded trea-sure, To serve his car-nal
p
P
f
for-te E... e.......... sconquassar-vi il
pleasure, And... And......... eke u-surp your
f ff

Dr C.
Ca - spi - ta!
Great Heaven!
FORD
Quan - ti guai!
I'm a - bused!
P
let - to.
pil - low!
ff
BAR.
(a Mr Ford)
(to Ford)
Già le scris - se un bi - gliet - to...
He has sent her a let - ter
(interrompendo)
(interrupting)
P
Ma
Of
p
P
quel mes - sag - gio ab - biet - - - to
which to be the bear - - - er

BAR.
Ri - cu-
I re-
P
ri - cu - sai.
I re - fused!
B
-sai.
-fused!
Ba-
Be-
P
Ba-da te a voi!
Beware, be-ware!
p
B
-da - - - - - - te!
-ware
P
Fal - staff le oc-chieg-gia
He o-gles all the
p

P
tut_te Che sie_no bel_le o brut_te Pul_zel_le o ma_ri_
wo_men, Good looking or un_come_ly, ripe ma_trons or young
p
p
BAR.
pp
Tut_te! tut_te! tut_te! La co_ro_na chea_
Matrons! Matrons! Maidens! See the tynes that a_
P
_ta_te. Tutte! tut_te!
maidens. Maidens! Maidens!
p
B
_dor_na D'At_te_on l'ir_te chio_me Su voi già
_dorn Act_e_on's hai_ry fore_head from yours are

sottovoce
B
spun_ta! Le cor_ _ _ _
sprouting! «The Ant_ _ _ _
FORD
Co_me sa_reb_be a dir? Brutta pa_
What do you mean by that? Horri_ble
(29)
Dr C.
Ha vo_glie vo_ra_ _ci il Ca_va_lier.
A vast ap-pe-tite has this wicked old Knight!
B
_na.
_lers.»
FOR
_ro_la! Sor_ve_glie_rò la
word! My wife I'll keep my
f
mf
(rientrano da sinistra le quattro donne)
(Re_enter the four women L.)
FOR
mo_glie. Sor_ve_glie_rò il mes_se_ _re. Sal_var vo'i be_ni
eye on; Her gal_lant I'll look af_ _ter; I'll have no cour_tier
f
mf

ALI.
(vedendo Ford)
(perceiving Ford)
(È
('Tis
NAN.
(vedendo Fenton)
(perceiving Fenton)
(È Lui.)
('Tis he!)
FEN.
(vedendo Nannetta)
(perceiving Anne)
(È Lei.)
('Tis she!)
(vedendo Alice)
(perceiving M.rs Ford)
FOR
miei Dagl'ap_pe_ti_ti al_trui.
fine Lay hand on what is mine.
(È Lei.)
('Tis she.)
f
pp
(alle altre a bassa voce, indicando Ford) sottovoce
(to the others, whispering, pointing to Ford)
A
Lui.)
he!)
3
(S'egli sa_pes_se!...
(If he should know it!
N
Gua_i!
Non_sense!
MEG
(ad Alice, indicando Ford)
(to M.rs Ford, pointing to Ford)
(È Lui.)
('Tis he!)
D.r C.
(a Ford, indicando Alice)
(to Ford, pointing to M.rs Ford)
(È Lei.)
('Tis she!)

(Ford, Dr Cajus, Bardolfo e Pistola escono da destra: Resta Fenton)
(Exeunt Ford, Dr Caius, Bardolph and Pistol R. Fenton remains)
A
Schiviamo i passi suo_i.
Let's keep out of his way!
As_sa _ i.
Yes, ra _ ther!
M
Ford è ge _ lo _ so?
Ford then is jea _ lous?
(Alice, Meg e Quickly escono da sinistra. Resta Nannetta)
(Mrs Ford, Mrs Page and Dame Quickly exeunt L. Anne lingers)
A
Badiamo a noi.)
A_way, a _ way!)
QUIC.
Zit_to!
Si_lence!
(mettendo l'indice al labbro per cenno di silenzio)
(enjoining silence, by putting a finger to her lip)
senza tempo
N
Ssssss. Ta_ci. Che vuoi? In fret _ ta.
Ssssss. Silence. What is't? But quickly!
(verso Nannetta a bassa voce)
(to Anne under his breath)
senza tempo
FEN
Pst, pst. Nan_net_ta. Vien qua. Due ba_ci. In
Ss! Ss! My Nannie, Hi_ther! Two kisses! Yes,
ppp
col canto

ALLEGRETTO ♩=126
(si baciano rapidamente presso il gruppo d'alberi)
(they kiss hastily, near the trees)
FEN
fret_ta!
quickly!
ALLEGRETTO ♩=126
(30)
p
p
NAN.
dolciss.
Lab_bra di fo_ _co!
Lips by com_ mo_ _tion
dolciss.
FEN
Lab_bra di fio_ _re!..
Kis_sing with pas_ _sion
dolciss.
pp con espress.
N
Che il va_go gio_ _co San_no d'a_mo_ _re.
Teach the sweet fash_ _ion Of love's e_mo_ _tion.

FEN
Che spar - gon ciar - le, Che mo - stran per - le,
Lips that are po - sies Pre - cious pearls hi - ding,
FEN
Bel - le a ve - der - le Dol - - - ci a ba -
Temp - ting and chi - ding Theft of their
(tenta di abbracciare Nannetta)
(tries to kiss Anne)
FEN
- ciar - le! Lab - bra leg - gia - - - dre!
ros - es! Kis - sing's a du - - - ty
(difendendosi e guardandosi attorno)
(keeping him off)
NAN.
Man ma - lan - dri - ne!
Au - da - cious crea - ture!

FEN
Ci - glia assas - si - ne! Pu - pil - le la - dre!
Thine ev'-ry fea - ture Is rife with beauty!
NAN.
string.
Im - pru - den - te. No............
'Tis im - pru - dent, No!..........
(si svincola)
(disengages herself)
Ba - sta.
Leave me!
(fa per baciarla ancora)
(tries to kiss her)
FEN
T'a - mo!... Sì, due ba - ci.
Kiss me.... Yes, two kis - ses!
p string.
N
Vien
They're
FEN
Mi pia - ci tan - to!
Ah! how I love thee!
(31)
f

(si allontanano l'uno dall'altro)
(they separate)
N
gen - te.
com - ing!
mf
rall:
(cantando, si nasconde fra gli alberi sempre guardando Nannetta)
(gazing at Anne, and hiding among the trees)
FEN.
PIÙ LENTO ♩ = 80
Boc - ca ba - cia - ta non per - de ven -
Kis - sing is fraught........ with an ex - qui - site
PIÙ LENTO ♩ = 80
pp
NAN.
An - zi rin - no - va co - me fa la lu -
Bliss ne - ver pall - ing, and sweet be - yond mea -
FEN
- tu - ra...
plea - sure!...

Come prima ♩=126
N
Come prima ♩=126
ppp
dim.
morendo e allarg.
N
na, co-me fa la lu-
sure, be-yond mea-
morendo e allarg.
N
na.
sure!
a tempo

(entrano nuovamente Alice, Meg, M.rs Quickly - Nannetta in fondo)
(enter M.rs Ford, M.rs Page and Dame Quickly. Anne up stage C.)

A
Se gli scri-ves-si un ri-go?..
Say, shall I write a let-ter?..
NAN.
(riunendosi al crocchio, con disinvoltura)
(joining them)
Val me-glio un am-ba-
A mes-sen-ger were
pp
POCO PIÙ LENTO ♩= 88
A
Sì.
Yes!
N
-sciata. Sì. Sì.
better. Yes! Yes!
QUIC.
Sì.
Yes!
POCO PIÙ LENTO ♩= 88
A
(a Quickly)
(to Dame Quickly)
Da quel bri-gan-te tu an-
Seek thou the ruf-fian at his

(riflettendo)
(reflecting)
A
-drai...
inn,
Lo a-de-schi al-
And of-fer
A
-l'of-fa d'un ri-tro-vo ga-lan-te con me.
to arrange a private appointment with me.
NAN.
Che bel-la
Cunning con-
QUIC.
Quest'è ga-glioffa!
Excellent no-tion!
p
string.
COME PRIMA
con brio
A
Pri-ma, per at-ti-rar-lo a noi lo lu-singhia-
Thus, and thus on-ly, to our snare we may entice
N
bur-la!
-tri-vance!
COME PRIMA
p

A
-mo, e poi glie-le can-tia-mo in
him, And then a pret-ty trick we'll
N
e poi...
And then...
A
ri-ma. È un
QUIC. play him. The
Non me-ri-ta ri-guar-do.
With-out the least com-punction.
mf
A
bo-ve. È un mon-te di
mons-ter! The moun-tain of
MEG
È un uo-mo sen-za fe-de
The im-pu-dent old rascal!

A
lar - do.
tal - low!
È un ghiotton che scia-
He's a glut - ton, who
M
Non me - ri - ta cle - men - za.
He me - rits no com - pas - sion.
cres.
A
- lac - qua tut - to il suo aver nel cuo - co.
squan - ders all that he 'has in gor - ging.
NAN.
Lo tuf - fe - rem nel-
We'll souse him in the
cres. sempre
A
Lo ar - ro - sti - re mo al fuo - co.
We'll roast him at a fi - re...
Che al - le-
En-
N
- l'acqua.
ri - ver.
Che gio - ia!
De - light - ful!
cres.

A
_gri_a!
_chanting!
Che gio_ia, che gio_ia, che gio_ia, che
Delightful, enchanting, delightful, en_
N
Che gio_ia, che gio_ia, che gio_ia, che
Delightful, enchanting, delightful, en_
MEG
Che gio _ ia! che gio_ia, che gio_ia, che gio_ia, che gio_ia, che
Delight _ ful! en_chanting, delightful, delightful, delightful, en_
QUIC.
Che gio _ ia! che gio_ia, che gio_ia, che gio_ia, che gio_ia, che
Delight _ ful! en_chanting, delightful, delightful, delightful, en_
f
cres.
A
gio - - - - ia!
_chant - - - - ing!
N
gio - - - - ia!
_chant - - - - ing!
(a Quickly)
(to Dame Quickly)
M
gio - - - - ia! Pro_
_chant - - - - ing! We
Q
gio - - - - ia!
_chant - - - - ing!
(34)
dim.

M
Q
-cac-cia di far be-ne la tua par-te.
count on you to play your part full feat-ly.
(accorgendosi di Fenton che s'aggira nel fondo)
(perceiving Fenton, who is moving about among the trees)
Chi
A
(escono rapidamente da destra Alice, Meg, M.rs Quickly)
(exeunt hurriedly M.rs Ford, M.rs Page and Dame Quickly, R.)
ALL.tto COME PRIMA = 126
Là c'è qual-cun che spi-a.
Here's some-one on us spy-ing!
vie - ne?
foot - step!
ALL.tto COME PRIMA = 126
p
p

(come sfidandolo)
(keeping him off)
NAN.
Tor_no alla ga_ra. Feri_sci!
Once more I de_fy thee! Attack then!
(tornando accanto a Nannetta)
(approaching Anne)
FEN.
Tor_no all'as_sal_to.
Once more I challenge.
dolciss.
con espress.
pp
(Nannetta si ripara il viso con una mano che Fenton bacia)
(Anne covers her face with one hand, which Fenton kisses)
N
La mi_raè in al_to. L'a_
Too high you're aim_ing. 'Tis
(facendo atto di baciarla)
(trying to kiss her)
FEN.
Pa_ra!
Par_ry!
N
_mor è un a_gi_le tor_ne_o, sua cor_te
thus in Love's....... soft du_el That strength is
N
vuol che il più fra_gi_le vin_ca il più for_te.
gen_tle and mer_ci_ful, Weak_ness, more cru_el.

FEN.
M'ar - mo,... ti guar - do. T'a - spetto al var - co.
Love is an arch - er, Who never mis - ses.
leggeriss.
NAN.
Il lab - bro è l'ar - - co.
Lips are his bow - - strings,
FEN.
E il ba - cio è il dar - do.
His shafts are kisses.
p
(35)
pp legato
FEN.
Ba - da!... la frec - cia fa - tal già scoc - ca dal - la mia
Guard thee, sweet maid, 'gainst my fond ca - res - ses, Thus wildly
poco cres.
NAN.
(annodandogli il collo colla treccia)
(passing the tress round his neck)
Ec - co - ti av - vin - to.
Thou art my captive!
FEN.
(le bacia la treccia)
(kisses a tress of her hair)
boc - ca sul - la tua treccia.
lavished on thy fair tresses.
ppp

N
FEN
Io son fe - ri - ta
I, too, am wounded,
Chie - do la vi - ta!
Quar - ter I ask for!
ppp
ma tu sei vin - to.
But thou art vanquished.
Pie - tà! pie - tà! Fac-
For peace I sue! A
pppp
ppp
E poi?
And then?
con grazia
- cia - mo la pa - ce e poi... Se vuoi, ri - co - min -
truce let us settle, and then... Re - sume our gentle

N
Bello è quel gio - co che du - ra
Happy the com - bat that injures
FEN
-ciamo.
warfare.
pp e stacc.
N
po - co
no one!
Basta.
Vanish!
FEN
A - mor mi - o!
My be - lo - ved!
f
(fugge da destra)
(runs off R)
N
Vien gen - te..
They're coming -
Ad - di - o!
Fare - well!...
(36)
PIÙ LENTO (allontanandosi cantando)
(retreating up stage)
♩=80
FEN.
PIÙ LENTO
come prima
♩=80
rall. . . . .
Boc - ca ba - cia - ta non per - de ven -
Kissing is fraught with an ex - quisite -
pp

(di dentro rispondendo)
NAN.
(from within)
dolciss.
An - zi rin - no - va co - me fa........... la lu - -
Bliss nev - er pall - ing, and sweet be - yond mea - -
FEN
- tu - ra.
plea - sure.
♩=126
N
na, come
sure, and
FEN
Bocca ba - cia - ta non per - de ven - tu - ra,
Kissing is fraught with an ex - - quisite plea - sure,
Come prima
♩=126 dolce
ppp
N
fa la lu - - - - - -
sweet be - yond mea - - - - - -
allarg. e morendo
FEN
allarg. e morendo
non per - de ven - tu - - -
an ex - qui - site plea - - -
allarg. e morendo

(rientrano dal fondo Dr. Cajus, Bardolfo, Ford e Pistola - Fenton si unisce poi al crocchio)
(re-enter Ford, Caius, Bardolph and Pistol, Fenton joins them)
ALL°. VIVO ♩=126
N
-na.
-sure.
FEN
-ra.
-sure.
ALL°. VIVO ♩=126
(37)
f
BAR.
(a Ford)
(to Ford)
U-drai quanta e-gli sfog-gia ma-gni-loquen-za al-
To his longwinded speeches I've of-ten been a
p
B
-te-ra.
martyr.
FORD
Di-ce-ste ch'egli al-loggia... Do-ve?
You said that he was lodging... where then?
PIS.
Al-la Giarret-
In Wind-sor, at the
p

FOR
A lui m'annun_cie _ re _ te,
Go ask him to re _ ceive me,
P
tie_ra.
«Gar_ter.»
pp
FOR
Ma........ con un fal _ _ so no _ me,
Call me by an_oth _ _ er name;
FOR
Po_scia ve_dre _ _ te co _ me Lo pi _ glio nel _ la
Your_self shall watch the game, I'll make it worth your while, be_
BAR.
In ciar _ le non m'in_
The grave is not more
FOR
re _ te. Ma... non u_na pa _ ro_la.
_lieve me! You'll keep my se_cret close_ly.
f
f

senza misura
B
-golfo.
silent.
Io mi chia_mo Bardol_fo.
I am Bardolph the Faithful.
FOR
P
Io mi chia_mo Pi_sto_la.
I am Pis_tol the Trus_ty.
ff
col canto
B
L'ar_ca_no cu_sto_di_rem.
Our ho_nour is deep_ly pledged.
FOR
Siam d'ac_cor_do.
We're agreed, then!
P
B
Sì.
Yes.
FOR
Siam d'ac_cor_do tut_ti. Qua la
We all are well agreed, hands up-
P
Son sor_do e mu_to.
I'm deaf and speechless.
Sì.
Yes.

(dal fondo rientrano Alice, Nannetta, Meg. e Mrs Quickly.)
(re-enter Mrs Ford, Mrs Page, Anne and Dame Quickly, C.)

ALI.
Tutte insieme
Quel - l'o - tre! Quel
Though shaped like a
NAN.
Se or - di - sci u - na
Your debt you must
MEG
Ve - drai che a un tuo
With smile and with
QUIC.
Tre lin - gue più al -
Your eyes and lips
Dr C
pro - va Mo - le - stis - si - ma del ver, Ti con - vien ten - tar la
question With per - sistence and with craft. You must put him to the
B
cau - to Quel sir John vi tra - di - rà, Se non sie - te a - stu - to e
- bout you Fat Sir John will trick you still! If you look not well a -
P
- e - sca Di tro - var del no - do il bandolo, Per ten - tar se vi ri -
mer - ry, He'll disclose his projects readily. For when once with wine he's
pp

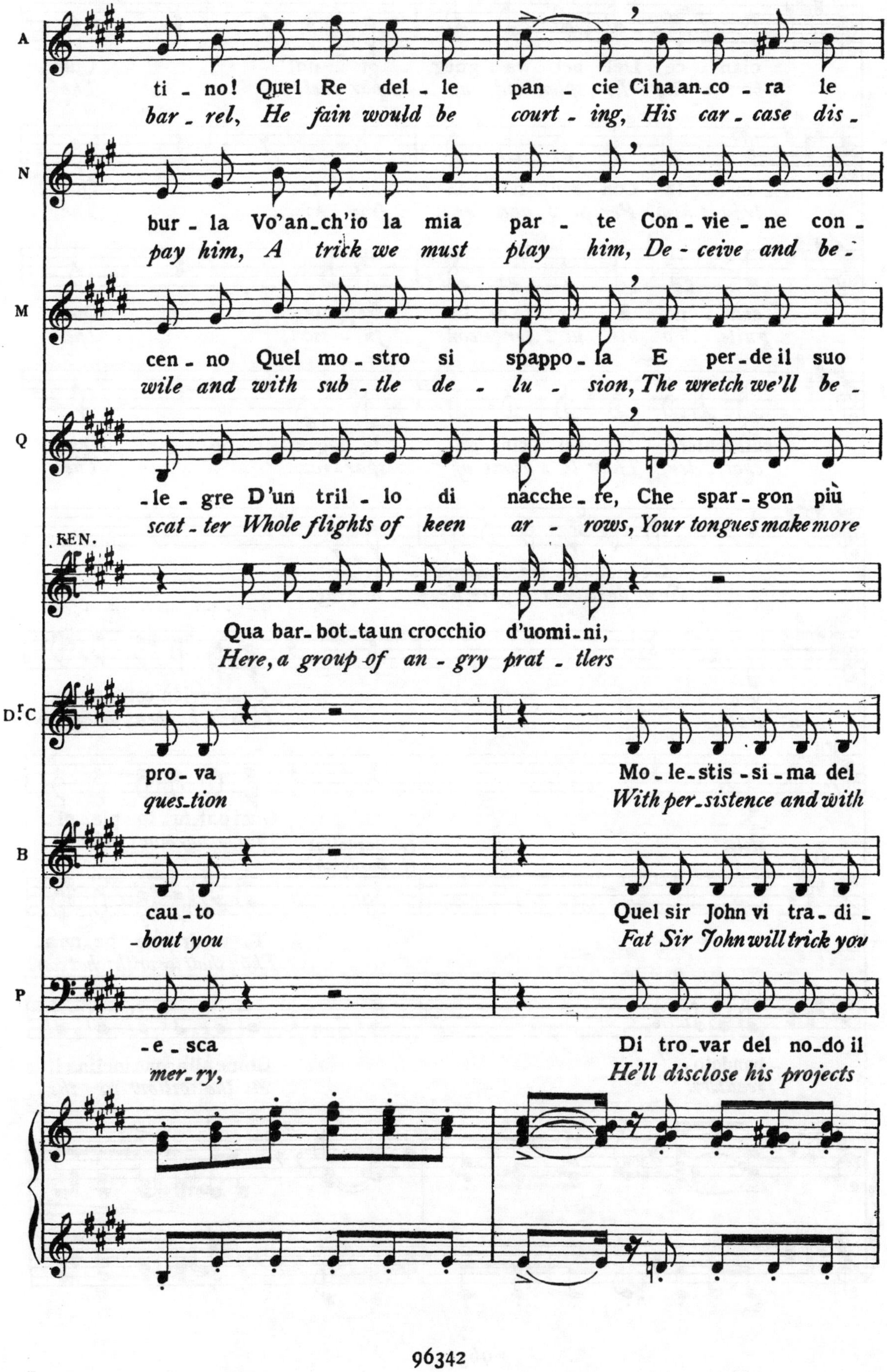
A
ti - no! Quel Re del - le pan - cie Ci ha an-co - ra le
bar - rel, He fain would be court - ing, His car - case dis -
N
bur - la Vo'an-ch'io la mia par - te Con - vie - ne con -
pay him, A trick we must play him, De - ceive and be -
M
cen - no Quel mo - stro si spappo - la E per - de il suo
wile and with sub - tle de - lu - sion, The wretch we'll be -
Q
- le - gre D'un tril - lo di nacche - re, Che spar - gon più
scat - ter Whole flights of keen ar - rows, Your tongues make more
REN.
Qua bar - bot - ta un crocchio d'uomi - ni,
Here, a group of an - gry prat - tlers
Dr C
pro - va Mo - le - stis - si - ma del
ques - tion With per - sistence and with
B
cau - to Quel sir John vi tra - di -
- bout you Fat Sir John will trick you
P
- e - sca Di tro - var del no - do il
mer - ry, He'll disclose his projects

A
cian - ce Del bel va - gheg - gi - no! Quel -
- port - ing In - splen - did ap - - par - el! The
N
- dur - la Con sen - no e con ar - te. Quel -
- tray him, Per - plex and ef - - fray him. The
M
sen - no E cor - re al - la trappola. Quel
- guile To his ut - ter con - fu - sion. The
Q
chiacchiere Di sei cin - gal - le - gre. Quel -
chat - ter Than le - gions of spar - rows. The
FEN
C'è nel - l'a - ria una ma - li - a.
Some dark deed they are de - - vi - sing.
Dt.C
ver. Così avvien col sa - por
craft. Thus it happens when you
B
- rà. Quel paf - fu - to ple - ni -
still. That e - normous alcove -
FORD
(a Bardolfo)
(to Bardolph)
Tu ve - drai se be - ne a -
Thou shalt see with what con -
P
bandolo. Come all'acqua inclina il
readi - ly. As the willow to the

A
_l'o - - - - - - - tre! Quel
hogs - - - - - - - head! The
N
_l'o - - - - - - - tre! Quel
hogs - - - - - - - head! The
M
mo - - - - - - - stro! Quel
mon - - - - - - - ster! The
Q
_l'o - - - - - - - tre! Quel
hogs - - - - - - - head! The
FEN
C'è nel _ l'a - - ria
Some dark deed, sure,
D^r C
o_sti_co Del gi_ne_pro o del ra _ bar_ba_ro; Il be_nes _ se _ re rin _
swal_low Some un_sa_vou _ ry me _ di_ca_ment, Tis a cure for in _ di _
B
_lu _ nio Che il co_lor del vi_no im _ porpo_ra Tro_ve_reb_be un pa_sto
_ran _ ger Full of li_quor and lu _ bri_ci_ty Will delude you, aye, and
FOR
_do_pe_ra L'ar_te mia con quel_l'in _ fa _ me; E sa_rà prez_zo del_
_grui _ ty I will tempt him to his ru _ in, And what subtle in _ ge _
P
sa_li_ce Co_sì al vin quel Ca_va _ lier. Scove_re _ te la sua
ri _ ver, So to sack doth he in _ cline. And his se_crets he'll de _

A
ti - - - - - - - - - no! Ve-drai che se ab-
bar - - - - - - - - - rel! For if I en-
N
ti - - - - - - - - - no! E se i sci-lin-
bar - - - - - - - - - rel! Our nets shall in-
M
mo - - - - - - - - - stro! Se il vi-schio lo im-
mon - - - - - - - - - ster! When we lay the
Q
ti - - - - - - - - - no! Tal sem-pre s'e-
bar - - - - - - - - - rel! Life half of its
FEN
u-na ma - li - - - - a.
they are de - vi - - - - sing.
Dr C
-no-va L'a-ma-ris-si-mo bic-chier.
-ges-tion Lurks with-in that bit-ter draught.
B
lau-to Nel-la vo-stra in-ge-nui-tà.
flout you, And will have his wick-ed will!
FOR
-l'o-pe-ra S'io di-sco-pro le sue tra-me.
-nu-i-ty I'll dis-play in his un-do-ing.
P
tre-sca Sco-pri-re-te il suo pen-sier.
-li-ver When he's sa-tu-rate with wine!

A
-bin-do-lo Quel gros-so com-par..... Più le-sto d'un
-tice him, That hogshead of fat,..... I'll handsome-ly
N
-guagnoli Sa-pre-mo a-do-prar...... Ve-dre-mo a ri-
-volve him, And then 'twill go hard,.... But we will dis-
M
-pe-go-la Lo u-dre-mo stril-lar...... E al-lor la sua
lash on He'll roar like a bull,..... And then his hot
Q
-si-la-ri Quel bel cin-guet-tar,..... Co-sì so-glion
plea-sure From laugh-ter de-rives;.... So laugh without
FEN
Là cin-guet-ta un stuol di fe-mi-ne,
There, a knot of fe-male tat-tlers,
Dr C
B
FOR
P
P

A
guindolo, Lo facio gi - rar.
trice him, Pray trust me for that!
N
-gagno-li Quel-l'or-co su - dar.
solve him, That blad-der of lard!
M
fre-go-la Ve-dre-mo svam - par.
pas - sion Will spee-di-ly cool!
Q
l'i-la-ri Co-ma-ri ciar - lar.
mea - sure Like true Mer-ry Wives!
FEN
Spi-ra un ven-to a-gi-ta - tor.
Plot-ting vengeance deep and dire.
D.r C
Ma quei due che a-ve-te ac-
And his two de-gra-ded
B
Messer Ford, l'uom av-vi-
Master Ford, my time-ly
FOR
Tu ve-drai se be-ne a-
Thou shalt see with what con-
P
p
pp

A
Più le - sto d'un guindo - lo, Più le - sto d'un
I'll handsome - ly trice him I'll handsome - ly
N
Ve - dre - mo a ri - gagno - li, Ve - dre - mo a ri -
Yes we will dis - solve him, Yes we will dis -
M
E al - lor la sua fre - go - la, E al - lor la sua
And then his hot pas - sion, And then his hot
Q
Co - sì so - glion l'i - la - ri, Co - sì so - glion
So laugh with - out mea - sure, Like true Mer - ry
FEN
Ma co - le - i che in
Thou dear maid - en my
D.r C
- can - to Gen - ti son di sua tri - bù, Non son due stin - chi di
sa - traps Who their chief would fain be - tray, Are a brace of gree - dy
B
- sa - to Non è sal - vo che a me - tà. Tocca a voi d'or - dir l'ag -
warning Lay to heart without de - lay. Shape your plans this ve - ry
FOR
- dope - ra L'ar - te mia con quel - l'in - fa - me; E sa - rà prez - zo del -
- grui - ty I will tempt him to his ru - in; And what sub - tle in - ge -
P
La mi - naccia or v'è sco - per - ta
As you know the truth com - plete - ly,

A
f
guindo_lo, Lo fac_cio gi_rar. Quel_l'o_tre, quel
trice _him, Pray trust me for that. The bar_rel, the
N
f
_gagno_li Quel_l'or_co su_dar. Quel_l'o_tre, quel
_solve him, That blad_der of lard. The bar_rel, the
M
f
fre_go_la, Ve_dre_mo svam_par. Quel_l'o_tre, quel
pas_sion Will spee_di_ly cool. The bar_rel, the
Q
f
l'i_la_ri Co_ma_ri ciar_lar. Quel_l'o_tre, quel
Wives, yes, Like true Mer_ry Wives. The bar_rel, the
FEN
cor mi no_mi_ni,
heart's de_sire,...............
Dr C
san_to, Nè son fio_ri di vir_tù. Ma quei due che a_ve_te ac_
rat_traps, Ev_er ga_ping for their prey. And his two de_gra_ded
B
_gua_to Che l'ag_gua_to stor_ne_rà. L'uom av_vi_
morn_ing, Take your measures while you may. My time_ly
FOR
_l'o_pe_ra Lo sven_ta_re le sue tra_me. Se da me stor_no il ri_
_nui_ty I'll dis_play in his un_doing! There shall be no stin_ted
P
Or v'è no_to il ciur_ma_dor, La mi_nac_cia or v'è sco_
Ev'_ry wise pre_cau_tion take, Use your eyes and ears dis_

A
ti - no! Quel - l'o - tre, quel
hogs - head! The hogshead, the
N
ti - no! Quel - l'o - tre, quel
hogs - head! The hogshead, the
M
ti - no! Quel - l'o - tre, quel
hogs - head! The hogshead, the
Q
ti - no! Quel - l'o - tre, quel
hogs - head! The hogshead, the
FEN
Dol - - - - ce a - mor, vuol
All my fond hopes
D!C
-can - to, Gen - ti son di sua tri - bù,... Non son due stin-chi di
sa-traps, Who their chief would fain be - tray,.. Are a brace of gree-dy
B
sa - to, Non è sal - vo che a me - tà, sì, Toc-ca a voi d'or-dir l'ag-
warning, Lay to heart without de - lay, - Shape your plans this ve - ry
FOR
-dico-lo Non a-vrem o - pra-to in-van, Se l'at-ti - ro nel-l'in-
mea-sure In the vengeance that I take, I shall kuow nor peace nor
P
-per - ta, Or v'è no-to il ciur-ma-dor, sì, Sta-te al-l'er-ta, al-l'er-ta, al-
-creet - ly, 'Tis your ho-nour that's at stake, Use your eyes and ears dis-

A
ti - no! Ve - drai che se ab -
bar - rel! For if I en -
N
ti - no! E se il sci - lin -
bar - rel! Our nets shall in -
M
ti - no! Se il vi - schio lo im -
bar - rel! When we lay the
Q
ti - no! Tal sem - pre s'e -
bar - rel! Life half of its
FEN
es - - - - - ser mi - a.
re - - - - a - - - - li - sing,
D.r C
san - to, Nè son fio - ri di vir - tù.
rat - traps, E - ver ga - ping for their prey.
B
- gua - to Che l'agguato stor - ne - rà.
morning, Take your measures while you may!
FOR
- gan - no L'angue mor - de il cer - re - tan.
pleasure, Till I've scotched this bloated snake!
P
- l'er - ta, Qui si trat - ta del - l'o - nor.
- creet - ly, 'Tis your hon - our that's at stake!
3
3
3

A
-bin-do-lo, Ve-drai che se ab-bin-do-lo Quel gros-so com-
-tice him, For if I en-tice him, That hogshead of
N
guagnolo, E se il sci-lin-guagnolo Sa-pre-mo a-do-
-volve him, Our nets will in-volve him, And then 'twill go
M
-pe-go-la, Se il vi-schio lo im-pe-go-la Lo u-dre-mo stril-
lash on, When we lay the lash on He'll roar like a
Q
-si-la-ri, Tal sem-pre s'e-si-la-ri Quel bel cin-guet-
plea-sure, Life half of its plea-sure From laughter de-
FEN
Noi sa- - - - -rem co-me due
Spite of all, I'll win thee
Dr. C
Ma quei due che a-ve-te ac-can-to, Non son due stin-chi di
But his two de-gra-ded satraps, Are a brace of gree-dy
B
Toc-ca a voi d'or-dir l'ag-gua-to, Toc-ca a voi d'or-dir l'ag-
Shape your plans this ve-ry morning, Take your measures while you
FOR
Se l'at-ti-ro nel-l'in-gan no, Se l'at-ti-ro nel-l'in-
I shall know nor peace nor plea-sure, I shall know nor peace nor
P
La mi-nac-cia or v'è sco-per-ta, La mi-nac-cia or v'è sco-
As you know the truth com-plete-ly, As you know the truth com-

A
-par Più le - sto d'un
fat, I'll handsome - ly
N
-prar, sa - pre - mo a - do - prar, Ve - dre - mo a ri -
hard, And then 'twill go hard. But we will dis -
M
-lar, lo - u - dre - mo stril - lar, E al - lor la sua
bull, He'll roar like a bull, And then his hot
Q
-tar, quel bel cin - guet - tar, Co - sì so - glion
-rives, From laugh - ter de - rives; So laugh without
FEN
ge - - - mi - ne stel - - - - le
for my wife
D.r C
san - to, Nè son fio - ri di vir - tù.
rat - traps, E - ver ga - ping for their prey.
B
-gua - to Che l'ag - gua - to stor - ne - rà.
may, Take your measures while you may.
FOR
-gan - no, L'an - gue mor - de il cer - re - tan.
plea - sure, Till I've scotched this bloat - ed snake.
P
-per - ta, Or v'è no - to il ciur - ma - dor.
-plete - ly, Ev' ry wise pre - cau - tion take!
3
3
3

A
guindolo, Più le - sto d'un guindolo, Più le - sto, più
-trice him, I'll handsome - ly trice him, I'll handsome - ly
N
-gagno-li, Ve - dre - mo a ri - gagno-li, Quel - l'or - co, quel -
-solve him, But we will dis - solve him, But we will dis -
M
fre-go-la, E al - lor la sua fre-go-la Ve - dre - mo, ve -
pas - sion, And then his hot pas - sion, And then his hot
Q
l'i-la-ri, Co - sì so - glion l'i-la-ri, Co - sì so - glion
mea - sure, So laugh with - out mea - sure, So laugh with - out
FEN
due ge - mi - ne
for my sweet
Dr C
Nè son fio - ri di vir - tù.
E - ver ga - ping for their prey.
B
Toc-ca a voi, toc-ca a voi,
Shape your plans, Shape your plans,
FOR
Se l'at - ti - ro nel - l'in - gan - no
I shall know nor peace nor plea - sure,
P
Sta - te al - l'er - ta sta - te al - l'er - ta
Keep your eyes and ears well o - pen,

A
le_sto, Lo fac_cio gi_rar
trice him, Pray trust me for that
N
l'or_co, quel_l'or_co su_dar
solve him, that blad_der of lard
M
_dre_mo, ve_dre_mo svam_par
pas_sion Will spee_di_ly cool
Q
l'i_la_ri Co_ma_ri ciar_lar
mea_sure, Like true Mer_ry Wives
FEN
stel_le u_ni_te in
wife To share my
Dr. C
Non son due stin_chi di
They're a brace of gree_dy
B
Toc_ca a voi d'or_dir l'ag_
Shape your plans this ve_ry
FOR
Se l'at_ti_ro nel_l'in_
I shall know nor peace nor
P
Sta_te al_l'er_ta, al_l'er_ta, al_
Keep your eyes and ears well.
f

PIÙ PRESTO ♩. = 126
A
N
M
Q
(escono)
(Exeunt Fenton, Ford, Caius, Bardolph and Pistol)
FEN
un ar - dor.
love and life.
Dr C
san - to, Nè son fio - ri di vir - tù.
rat - traps, E - ver ga - ping, for their prey!
B
gua - to Che l'ag - gua - to stor - ne - rà.
morning, Take your mea - sures while you may!
FOR
- gan - no L'an - gue mor - de il cer - re - tan.
plea - sure, Till I've scotched this bloat - ed snake!
P
- l'er - ta, Qui si trat - ta del l'o - nor.
o - pen, 'Tis your hon - our that's at stake!
PIÙ PRESTO ♩. = 126
(39)
ff
p

(a Mrs Quickly)
(to Dame Quickly)
A
Qui più non si vago_li...
You'd better be go_ing
(a Mrs Quickly)
(to Dame Quickly)
N
Tu
Waste
A
Vo' ch'egli mia_go_li d'a_
I'd have him moll_row_ing Like a
N
cor_ri al_l'uf_fi_cio tuo.
no time in talk_ing.
(a Mrs Quickly)
(to Dame Quickly)
A
_mor co_me un mi_cio. È in_te_sa.
love-sick gri_mal_kin. 'Tis set_tled.
N
È
'Tis
QUIC
Sì.
Yes.
pp

(salutando)
(greeting)
A
Do_ma_ni. Buon dì,
To_mor_row. Good_day,
N
det_ta.
sett_led.
Q
Sì. Sì.
Yes. Yes.
legg.
A
Meg.
Meg.
N
Ad_dio. Buon dì.
Good_day. Good_day.
MEG
Buon dì. Buon
Good_day. Good_
Q
Nan_net_ta, buon dì.
Fair Nan_nie, good_day.
(trattenendo ancora le altre)
(Keeping back the others)
A
Ve_drai che quel_l'e_pa Ter_
It may be fore_bo_ded That
M
dì.
_day.
pp e molto stacc.

A
ri - - bi-le e tronfia Si gon - - - - -
he will be stuffed up, Then puffed
fia, si gon - - - - - - fia, si
up, Yes, puffed up Yes,
NAN.
Si gon - - - - - - fia, si
Yes, puffed up Yes,
MEG.
Si
Yes,
ppp
ppp
A
gon - - fia, si gon - - - -
puffed up, yes, puffed up,
N
gon - - fia, si gon - - - - - -
puffed up, yes, puffed up,
M
gon - - fia, si gon - - - - -
puffed up, yes, puffed up,
QUIC.
Si gon - - - - - -
Yes, puffed up,
f

LO STESSO MOVIMENTO ♩=126
A
- - fia e poi cre - - pa.
And then ex - plo - - ded!
N
- - fia e poi cre - - pa.
And then ex - plo - - ded!
M
- - fia e poi cre - - pa.
And then ex - plo - - ded!
Q
- - fia e poi cre - - pa.
And then ex - plo - - ded!
LO STESSO MOVIMENTO ♩=126
fff
cantabile
A
Ma il vi - so mi - o su lui ri - splen - de -
But my bright vis - age on him shall shed its
(40)
ppp
A
- rà.
light
Co - me u - na stel - - - -
Like some sweet star.........................
NAN.
Co - me u - na stel - - - -
Like some sweet star.........................
cres.

A
- la, co-meu-na stel - la sul - l'im - men - - - si-
like some sweet star that spark - les all - - - the
N
- la, co-meu-na stel - la sul - l'im - men - - - si-
like some sweet star that spark - les all - - - the
MEG
Co-meu-na stel - la sul - l'im - men - - - si-
Like some sweet star that spark - les all - - - the
QUIC.
Co-meu-na stel - la sul - l'im - men - - - si-
Like some sweet star that spark - les all - - - the
f
dim.
tr
A
-tà, Ah! ah! ah! ah! ah! ah! ah! ah! ah! ah! ah! ah! ah! ah! ah!
night. Ah! ah! ah! ah! ah! ah! ah! ah! ah! ah! ah! ah! ah! ah! ah!
N
-tà, Ah! ah! ah! ah! ah! ah! ah! ah! ah! ah! ah! ah! ah! ah! ah!
night. Ah! ah! ah! ah! ah! ah! ah! ah! ah! ah! ah! ah! ah! ah! ah!
M
-tà, Ah! ah! ah! ah! ah! ah! ah! ah! ah! ah! ah! ah! ah! ah! ah!
night. Ah! ah! ah! ah! ah! ah! ah! ah! ah! ah! ah! ah! ah! ah! ah!
Q
-tà, Ah! ah! ah! ah! ah! ah! ah! ah! ah! ah! ah! ah! ah! ah! ah!
night. Ah! ah! ah! ah! ah! ah! ah! ah! ah! ah! ah! ah! ah! ah! ah!
mf
6/8

Fine dell'Atto I°
End of Act I.

ATTO SECONDO-PARTE PRIMA

Act Second-Part First

L'INTERNO DELL' OSTERIA DELLA GIARRETTIERA.

INTERIOR OF THE GARTER INN.

Una tavola. Un gran seggiolone. Una panca. Sulla tavola i resti d'un desinare, parecchie bottiglie e un bicchiere. Calamaio, penne, carta, una candela accesa. Una scopa appoggiata al muro. Uscio nel fondo, porta a sinistra.

Table, large arm-chair, and bench. On the table remains of a meal, several bottles and a glass. Inkstand, pens, paper, a lighted candle. Broom leaning against the wall. Exit C. door L

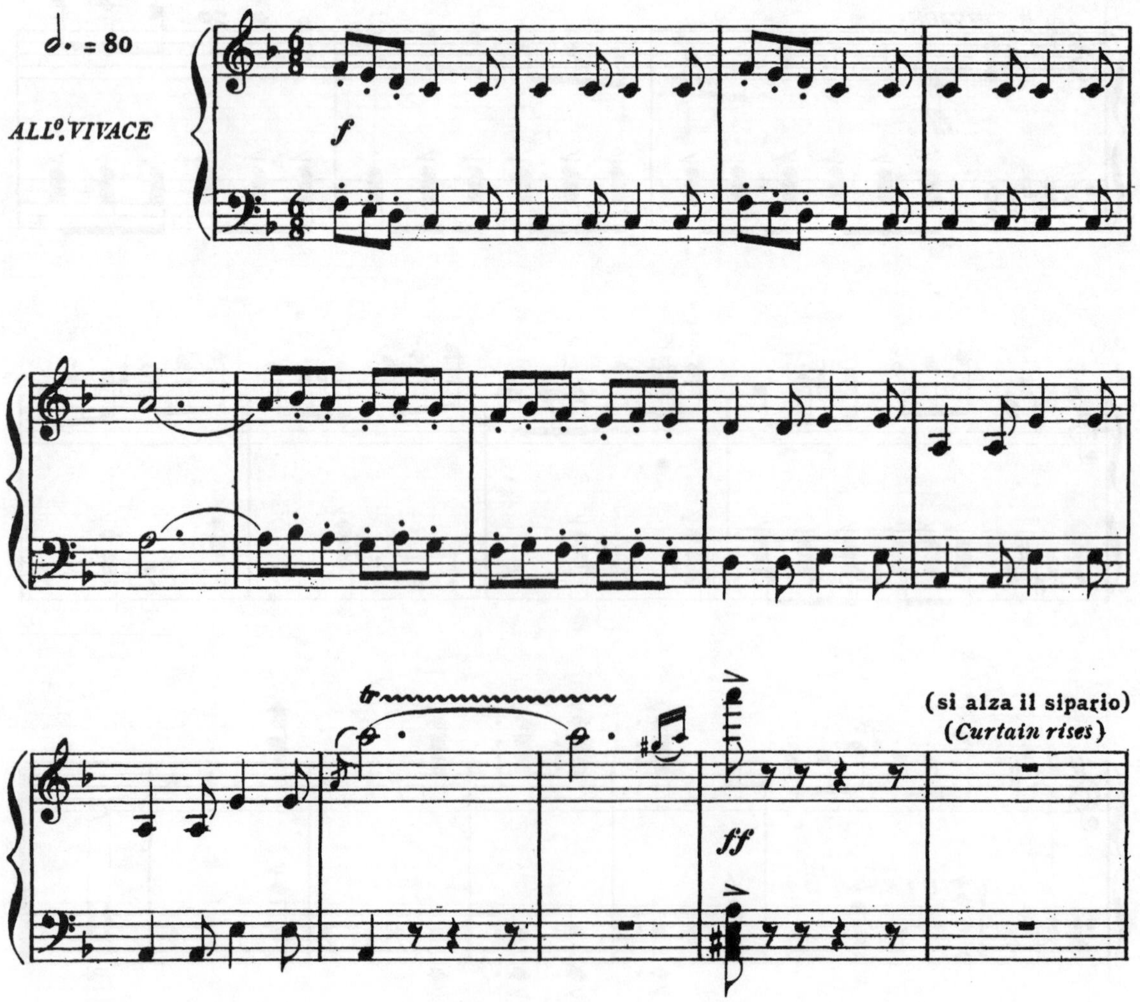

(Falstaff è adagiato nel suo gran seggiolone al suo solito posto bevendo il suo Xeres. Bardolfo e Pistola verso il fondo accanto alla porta di sinistra.)

(Falstaff is stretched out in his great armchair in his customary place drinking sack. Bardolph and Pistol up stage, near entrance L.)

mf
p
p
tr
ff

(battendosi con gran colpi ❋ il petto, in atto di pentimento)

(Bardolph and Pistol beating their breasts penitently.)

MOLTO PIÙ LENTO ♩. = 66
BARDOLFO
Siam pen - ti - - ti e con - tri - - ti.
We im - plore you to for - give us!
PISTOLA
Siam pen - ti - - ti e con - tri - - ti.
We im - plore you to for - give us!
(1)
MOLTO PIÙ LENTO ♩. = 66

(volgendosi appena)
(indifferently)
FALSTAFF
L'uo_mo ri_tor_na al vi_zio, la gat_ta al lar_do...
Ras_cals hark back to vice, like cats to the cream_jug...
B
E.........
We.........
P
E.........
We.........
B
.... noi, tor_nia_mo al tuo ser_vi_ - - - -
.... are once more, your hum_ble ser_ - - - -
P
.... noi, tor_nia_mo al tuo ser_vi_ - - - -
.... are once more, your hum_ble ser_ - - - -
I° TEMPO
(a Falstaff)
(to Falstaff)
B
_zio.
_vants.
Pa_dron,
Sir Knight,
P
_zio.
_vants.
I° TEMPO
f
p

B
là c'è u - na don - na ch'al - la vo - stra pre -
Here is an a - ged dame who fain would have
B
- sen - za chie - de d'es - ser am - mes - sa.
ac - cess to your wor - ship - ful pre - sence.
(Bardolfo esce da sinistra e ritorna subito accompagnando Mrs Quickly)
(Exit Bardolph L., and re-enters conducting Dame Quickly)
FAL.
S'i - nol - tri.
Ad - mit her!
(2)
mf
marcato

ASSAI MOD.to ♩ = 80
(inchinandosi profondamente verso Falstaff, sempre seduto)
(courtseying deeply to Falstaff, who remains seated)
QUICKLY
Re - ve - ren - - za!
Sir, fair gree - - ting!
FAL
Buon
God
ASSAI MOD.to ♩ = 80
p
Q
Re - ve - ren - - za!
Sir, fair gree - - ting!
FAL
gior - no buo - na don - na.
Save you, worthy wo - man!
m.s.
(avvicinandosi con gran rispetto e cautela)
(approaching him respectfully)
Q
Se vo - stra gra - zia vuo - le, Vor - rei, se - gre - ta -
If it should please your wor - ship To give me private

Q
FAL
_men _ te, dir _ le quattro pa _ ro _ le.
hear _ ing, Some _ thing I have to tell you.
T'accor _ do u _
I grant thee
(fa un altro inchino, avvicinandosi ancora più)
(courtseys again, approaching still nearer)
(a Bardolfo e Pistola che escono da sinistra facendo sberleffi)
(to Bardolph and Pistol, who go out making grimaces)
Re _ ve _ ren _ _
Sir, fair gree _ _
_ dien _ za. _ E _ scite.
audience. _ Re _ ti _ re!
p
ALL^o. MOD^to ♩ = 92
(esitando)
(hesitating)
pp a bassa voce
_ za!
_ ting!
Madonna A _ li _ ce
I come from Mis _ tress
(3)
3

Q
FAL.
f
marcato
Ford....
Ford....
(alzandosi ed accostandosi a Quickly premuroso)
(rising and hastily approaching Dame Quickly)
Ahi-mè! Po-ve-ra
A-las! Un-hap-py
Ebben?
Well?
pp
donna! Sie-te un gran sedut-to-re!
la-dy! You-re a wick-ed su-du-cer!
Lo so. Con-
I am! Con-
pp
-ti-nua.
-tin-ue.
pp sottovoce
A-li-ce sta in
Her mind is be-
pp

Q
gran - de a_gi_ta_zio_ne d'a_mor per voi; vi
_wild - ered and di_stracted by love of you; She
di _ ce Ch'ebbe la vo_stra let _ te_ra, che vi rin -
bids me say that your let _ ter reached her; she thanks you
accel. un poco
_gra _ zia e che Suo ma_ri _ to e _ sce sem - -
for it; and her husband is ab - sent from home
accel. un poco
_pre dalle due al_le tre. Vo_stra
FAL. dai_ly from two un_til three. At that
Dalle due al_le tre.
From two un_til three!
(4)
p

Q
Gra _ zia a quel _ l'o _ ra Po _
hour your no _ ble wor _ ship may
_ trà li _ be _ ra _ men _ te Sa _
seek her in her dwel _ ling With _
_ lir o _ ve di _ mo _ ra La bella A _
_ out the slight _ est dan _ ger of in _ ter _
col canto
marcate
_ li _ ce. Po _ ve _ ra don _ na! le ango _ scie
_ rup _ tion. Un _ hap _ py la _ dy! her griefs and

sottovoce
Q
su - e Son cru - de - li! ha un ma - ri - to ge-
troub - les Are dis - tress - ing, for her hus-band is
Q
- lo - so!
jea - lous!
(rimuginando le parole di Quickly)
(musing over the words of Dame Quickly)
(a Quickly)
(to Dame Quickly)
FAL.
sottovoce
ff
Dal-le due al-le tre. Le di-
From two un-til three. Say that
p f p
FAL
-rai che impa-zï-en - te aspetto quel-l'o - ra.
I the hour await with loving im - pa-tience,
p

Q
Ben det_to.
I'll tell her.
FAL
Al mio do_ver non manche_rò.
And that her tryst I'll sure_ly keep.
f
pp
ppp
parlando
Ma c'è un' al _ tra amba _
I've a _ no _ ther com _
ppp
p
_scia_ta per Vo_stra Gra_zia.
mis_sion for your Wor _ ship.
FAL.
dolce
Par _ la.
Im _ part it!
(5)
pp

cantando
Q
La bel - la Meg (un
Fair Mi - stress Page (an
LARGO ♩. = 56
an - ge - lo che in - na - mora a guar - dar - la) An -
an - gel of grace, whom to see is to wor - ship); She
LARGO ♩. = 56
ppp leggerissimo
I° TEMPO ♩ = 92
- ch'es - sa vi sa - lu - ta mol - - - to amo - ro - sa -
al - so bids me bring you lov - - - ing and ten - der
I° TEMPO ♩ = 92
- men - te, Di - ce che suo ma - ri - to è as -
gree - ting. Sad though to say; her watch - ful spouse from

Q
-sai di ra - - do as - sen-te.... Po - ve - ra
home is sel - - dom absent! Un - hap - py
COME PRIMA
Q
don-na! un gi - - - glio di can-dore e di
la - dy! A snow - - white li - ly of candour and
COME PRIMA
ppp
morendo
Q
fè!........
truth!........
8
pp
morendo

ALL°. VIVO ♩ = 126
Q
Voi le strega _ te tut _ te.
How is't you thus be_witch them?
FAL.
portando
Stre_go _ ne_ria non c'è
Ma un
No witchcraft I em_ploy,
The
(6)
ALL°. VIVO ♩ = 126
mf
p
FAL
cer - to qual mio fa _ sci _ no per_so _
on - ly charms I ex _ er _ cise, are my
FAL
_ nal....
Dim - mi:
own....
Tell me:
Has

QUIC
allarg. un poco
Oi - bò! La don - na na - sce
Sure - ly! We wo - men keep our
FAL
l'al - tra sa di que - st'al - tra?
each one kept her own se - cret?
p col canto
a tempo
Q
scal - tra. Non te - me - te.
coun - sel. Fear no pra - ting.
(cercando nella borsa)
(feeling in his purse)
Or ti
Ser - vice
p legg.
a tempo
Chi se - mi - na
Who sow - eth brave
vo' re - mu - ne - rar...
mer - its just re - ward...

Q
Gra - zie, rac - co - glie a - mor.
boun - ty shall har - vest love!
(estrae una moneta e la porge a Quickly)
(gives money to Dame Quickly)
FAL
Pren - di, Mer - cu - rio
Glean, then, thou fe - male
FAL
femina
Mercury.
cres.
QUIC.
COME PRIMA
(esce da sinistra)
(exit L.)
(congedandola col gesto)
(dismissing her by a wave of the hand)
M'in - chi - no.
Your ser - vant!
FAL
Sa - lu - ta le due da - me.
Be sure thou greet my charmers.
COME PRIMA
pp
p
FAL
(7)
(A - li - ce è
(she's mine, she's
pp
ppp
allarg. e marcato

ALL°. SOSTENUTO ♩=100
FAL
mi_a!)
mine!)
ALL°. SOSTENUTO ♩=100
ff
FAL.
pp
Va..., vec_chio John, va,
Go...; go thy way, go,
FAL
marcate
va per la tua vi_ _a. Que_sta tua vec_chia
go Jack Falsaff, go thy way. This battered hulk of
FAL
carne an_ _co_ra spre_ _ _me
thine, 'spite wind and weath_ _ _er,
f

FAL
Qual_che dol_cez_za a te. Tut_te le
Still yields some joy to thee, For all the
dolce
p
f
don_ne ammu_ti_na_te in_sieme Si dan_na_no per
wom_en, old and young to_gether Are mad with love for
me! Buon cor_po di Sir John, ch'io nu_tro e
me! Good bo_dy mine, the which I am_ply
pp
sa_zio, Va, ti rin_gra_zio.
nour_ish, Long may'st thou flour_ish!

(8)
ALL° COME PRIMA ♩ = 100
ff
(entrando da sinistra)
(enters L.)
BAR.
RECIT. prestissimo
Pa_dron; di là c'è un certo Mastro Fon_ta_na Che a_ne_la di co_
Sir Knight, here is a certain Master Brook who great_ly covets your
col canto
p
B
_noscervi; offre una da_mi_giana di Cipro per l'asciolve_re di Vostra Signo_
discourse; a de_mi_john of Cyprus doth he proffer where_with to wet Your Worship's
B
_ri_a.
whis_tle.
Sì.
Aye.
FAL.
Il suo no_me è Fon_ta_na?
Said'st thou Brook was his name?...
mf

ALLEGRO ♩ = 132
FAL
Be _ ne ac _ col _ ta si _ a La fon _ _
Wel _ come be that brook which e _ _ ver
ALLEGRO ♩ = 132
ppp
FAL
_ ta _ na che span _ _ de un si _ mi _ le li _
flow _ eth With grape _ _ juice where _ so _ e'er it
cres.
FAL
_ quo' _ _ re! En _ tri.
go _ _ eth! Hi _ ther!
f
(Bardolfo esce)
(exit Bardolph)
I° TEMPO ♩ = 100
FAL
Va, vec _ chio John per la tua vi _ _
Go, go thy way, Jack Falstaff go thy
I° TEMPO ♩ = 100
ppp

(Mr Ford, travestito, entra da sinistra preceduto da Bardolfo che si ferma all'uscio e s'inchina al suo passaggio, e seguito da Pistola il quale tiene una damigiana. Pistola e Bardolfo restano nel fondo. Ford tiene un sacchetto in mano.)

(Enter Ford in disguise and carrying a bag of money, preceded by Bardolph who stops on the threshold and bows as he passes and followed by Pistol bearing a runlet of wine Bardolph and Pistol remain up stage)

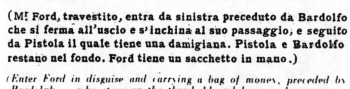

(sempre complimentoso)
(always ceremoniously)
FOR
Io so - no, dav - ver, molto indi -
For what may ap - pear, an in - dis -
(ricambiando il saluto)
(returniag his salute)
FAL
- si - sta voi pur, si - gno - re.
you, worthy sir, no less so.
m.s.
FOR
- scre - to, e vi chie - do per - do - no, Se,........
- cre - tion, I must crave your for - give - ness, If..........
FOR
.... sen - za ce - ri - mo - nie qui ven - go e sprovve -
.... thus un ce - re - mo - niously I ven - ture to ap -

FOR
-du - to Di più lunghi pre-ambo-li.
-proach you without letters of cre - dence.
FAL.
Voi sie-te il ben-ve-
Be sure that you are
ALL°. MODERATO ♩ = 100
Lo stesso movimento
FAL
-nu - - - to.
wel - - - come!
(10)
ALL°. MODERATO ♩ = 100
Lo stesso movimento
mf
pp
pp
FORD
In me ve-de-te un uom ch'ha un'ab-bon-
In me you see a man who is full

FOR
_dan _ za grande De_gli a_gi del_la vi _ ta;..........
well pro_vi_ded with store of earthly trea _ sure;..........
p
FOR
.... un uom che spen_de e span_de Co - me
.... A man who spends his wealth by whim and
f
FOR
più gli ta _ len_ta pur............... pur di pas_
fan - cy gui - ded... To gra_ti _
f
ff
FOR
_sar mat _ ta _ na. Io mi chia _ mo Fon_
- fy his plea _ sure Mas_ter Brook is my

♩=100
FOR
_tana!
name.
(gli stringe la mano con grande cordialità)
(cordially pressing his hand)
FAL.
Ca_ _ro si_gnor Fon_ta_na! Voglio fa_re con
Ex_ _cel_lent Mas_ter Brook! I de_sire to
♩=100
mf
p
con grande espansione
FOR
Ca_ _ro Sir
Gal_ _lant Sir
FAL
voi più am_pia co_no_scen_za.
make your in_ti_mate ac_quaintance.
p
FOR
John de_si_de_ro par_lar_vi in con_fi_
John, in con_fi_dence a fav_our I would

LO STESSO MOV.to
FOR
-den - za.
ask you.
BAR.
(sottovoce a Pistola nel fondo, spiando)
(to Pistol, under his breath)
(At - ten - to!
(At - ten - tion!
(sottovoce a Bardolfo)
(to Bardolph similarly)
Guar - da! Scom -
Lis - ten! I'll
PIS.
(Zit - to!
(Si - lence!
(11)
LO STESSO MOV.to
pp
B
- metto! E - gli va dritto nel traboc - chetto.
wager that he will tumble in - to the pit - fall.
FAL.
ff
Che fa - te
What do ye
B
Zit - to!)
Si - lence!)
PIS.
Ford se lo in - trappola
Ford will in - veigle him
Zitto!)
Silence!)

(a Bardolfo e Pistola i quali escono al cenno di Falstaff)
(exeunt Bardolph and Pistol)
(a Ford)
(to Ford)
FAL
là!
here?
V'a -
I
ff
senza misura, presto
parlante
FORD
Sir John, m'infonde ardi - re Un ben noto proverbio po - polar:
Sir John let me remind you of a popular proverb old as Time.
FAL
- scolto.
listen.
ALL° MODERATO ♩=100
lunga pausa
FOR
Si suol di - re Che l'o - ro a - pre ogni porta, Che
'Of bright gold is the key that opes ev' ry portal.' For
ALL° MODERATO ♩=100
lunga pausa
ff
FOR
l'o - ro è un ta - li - sma - no, Che l'o - ro vin - ce tut - to.
gold's a mighty tal - is - man, A spell to which the proud - est yield
pp

FAL.
L'o - - ro è un buon ca - pi - ta - no Che mar - cia a -
Gold is a mas - ter - ful war - rior Well used to
p
(avvicinandosi verso il tavolo)
FORD (approaching the table)
Eb - be - ne... Ho un sac - co di mo -
Well, well, Sir... This bag of coin I
FAL
- van - ti.
con - quest.
(12)
FOR
- ne - te Qua, che mi pe - sa as - sai. Sir
car - ry, too hea - vy is for me; Sir
f
FOR
John...... se voi vo - le - te A - iu - tar - mi a por - tar - lo?...
John...... your kind as - sistance lend, its weight to di - mi - nish!
FAL.
Con gran pia -
I'll not re -
p

(prende il sacchetto e lo depone sul tàvolo)
(taking the bag and placing it on the table)
FAL
-cer... non so, Dav-ver,
-fuse... but tell me why
ff
pp
ff
FORD
Ve lo di-rò... C'è a
Hearken I pray... In
FAL
per qual mio me-ri-to, Mes-se-re...
and how have I deserved this boun-ty?
pp
ANDANTE ♩=69
FOR
Wind-sor u-na da-ma, bel-la e leg-gia-dra
(13) Wind-sor lives a la-dy, fair is she sweet and
ANDANTE ♩=69
pp
FOR
mol-to, Si chiama A-li-ce; è mo-glie d'un certo
mel-low; Her name is A-lice, her husband a certain
pp stacc

FOR
Ford...
Ford...
Io
I
FAL.
V'a - scol - to.
Poor fel - low!
LO STESSO MOV.to ♩= 69
l'a - mo e lei non m'ama; le scri - vo, non ri -
love her, she cares not for me; I write to her, she does not
LO STESSO MOV.to ♩= 69
p
tr
- sponde; La guar - do, non mi guarda; la
answer: I gaze on her she will not look at me; I
cer - co e si na - scon - de. Per lei spre - cai te -
seek her and she con - ceals herself On her I've squandered
con espress legato
poco string. ♩= 120
f

FOR
-so - ri, git - tai do - ni su
treas - ures, Rich gifts on her I've
FOR
do - ni, E - sco - gi - tai,........................ tre -
lav - ished a thous-and plans............ I have con -
FOR
-man - do, il vol del - le oc - ca -
-coct - ed to gain her gracious
dim.
FOR
-sio - ni. Ahi-mè! tut - to fu
fav - our. A-las! all was in
p

FOR
-va_no!...
vain! ...
Ri_ma_si sul_le sca_le, Ne-
I still a_wait Love's guerdon, And
-glet_to, a boc_ca a_sciut - ta,
this is of my sad dit - ty,
cantando un ma_dri -
the me_lan_cho_ly
a piacere
leggeriss.
pp
dim. sempre ed allarg.
-ga
bur
LO STESSO MOV.to ♪ = 120
le.
den!
(cantarellando scherzosamente)
(gaily singing.)
FAL.
L'a - mor, l'a - mor che non ci
This love, this love, is ev'ry
(14)
LO STESSO MOV.to ♪ = 120
p

imitando
FOR
strug - ge
be - ing
FAL
dà mai tre - gue Fin-chè la vi - ta strug - ge. È
man's un-do - - ing, While he has breath and be - ing. 'Tis
FOR
che chi fug - ge...
him who flees it...
FAL
co - me l'om - bra... in-
like a shad - ow... pur-
legg.
FOR
E chi l'in - se - gue... l'a -
And whom pur - sues it... This
FAL
- se - gue... fug - ge,
- su-ing... flee - ing

con forza
FOR
- mor, l'a - mor! E
love, This love! Thus
FAL
l'a - mor, l'a - mor!
This love, This love!
FOR
que - sto ma - dri - ga - le l'ho ap -
runs the dis - mal dit - ty I've
mf
FOR
- pre - so a prez - zo d'or.
dear - ly paid to learn.
FAL.
Que - st'è il de - stin fa -
And such the fate of
f

cantarellando
FOR
L'a - - -
« This
FAL
- ta - le del mi - se - ro a - ma - tor.
woo - ers whose love finds no re - turn.
pp
FOR
- mor, l'a - mor che non ci dà mai tre - - -
love, this love, is ev'-ry man's un - do - - -
FOR
- gue... No.
- ing... No.
(interrompendo)
(interrupting)
FAL.
Es - sa non vi die' mai luogo a lu - sin - ghe? Ma in -
She holds out no hope or prospect of yielding? And
p
pp

SEMPRE LO STESSO MOV.to ♩ = 120
come prima
FOR
Ve lo di - rò:
I'll tell you now:
FAL
- fin, per - chè v'a - pri - te a me?
why do you ap - ply to me?
(15)
SEMPRE LO STESSO MOV.to ♩ = 120
p
f
p
FOR
Voi sie - te un gen - ti - luo - mo
You are a man of breeding,
pp
f
p
FOR
pro - de, ar - gu - to, fa - con - do,
prow - ess, dis - cre - tion, in - ven - tion,
f
p
FOR
Voi sie - te un uom di guer - ra, voi sie - te un uom di
A man of migh - ty met - tle, and courtly ap - pre -
f
ff
p

FOR
mon_do... Non v'a_du_lo, e quel_lo è un sac_co di mo_
_hension... 'Tis so, tru_ly; and here is good red gold in
(con gesto d'umiltà)
FAL.
(deprecatingly)
Oh!
Oh!
ppp
FOR
_ne te: Spen_de_te_le! spen_
plen_ty: at your plea_su_re Dis_
p
FOR
_de_te_le! sì, spen_de_te e span_
_pose of it, aye, and scat_ter it
FOR
_de_te Tut_to il mio.............. pa_tri_
free_ly, with_out stint and with_out

FOR
-mo - nio! Sia - te ric - - - - - - - - - - co e fe - li - ce!
mea - sure. All my wealth - - - - - - - - - - you shall squander;
f
Ma, in contrac - cambio chie - do che con_qui_stia_te A - li - - ce!
All that I ask you is to sub - due that fair one yon - - der!
p
dolce
pp
Mi spie_go:
Pray hear me:
FAL.
Strana ingiun_zion!
A strange re_quest!
leggero

ALL°. MOD.to ♪ = 112
FOR
Quel-la crudel bel - tà Sempre è vis-su-ta in gran-de fe - de di
That cold di-vi-ni - ty Till now has e-ver lived in great repute of
(16)
ALL°. MOD.to ♪ = 112
mf
allarg....................
poco più animato
ca-sti - tà. La sua vir-tù im-por-tu - - na m'ab-
chas-ti - ty. Her vir-tu-ous aus - ter - i - ties per-
leggero
-bar-ba-glia-va gl'oc - chi, La bel-la i-ne-spu-gna-bi-le di-
-sistent-ly de - fy....... me, Her haughty, scorn-ful glan-ces seem to
(in falsetto)
Cantabile
-cea: Guai se mi toc - chi! Ma se
say: «Dare to come nigh me!» But if
pp col canto
p Cantabile

LO STESSO MOV.to ♩= 112
pp
FOR
voi l'e - spu-gna - te, poi,.................. posso anch'io spe -
your suit should win her, mine.................. may succeed some
LO STESSO MOV.to ♩= 112
pp
FOR
- rar; Da fal - lo na - sce fal - lo e al -
day; One fault oft breeds a - noth - er, and
allarg.
lunga pausa
ALL.o AGITATO 𝅗𝅥 = 66
FOR
- lor... Che ve ne par?
then... What do you say?
ALL.o
(17)
FAL.
Pri-ma di tut - to, sen - za com-pli -
Before all else without the least com -
ALL.o AGITATO 𝅗𝅥 = 66
lunga pausa
f
FAL
- menti, Mes-se - - re Accetto il sacco. Poi
- punction, good Sir, your gold I'll pocket. Pledg -
ff
pp

(stringendo forte la mano a Ford)
(squeezing Ford's hand)
FAL
(fe - de di ca - va - lie - re; Qua la ma - no!) fa
- - ing my knightly prom - ise (my hand u - pon it!) that
FAL
- rò le vostre bra - me sa - zie. Voi, la mo - glie di
I will satis - fy your longings. This dull Ford's love - ly
mf
FORD
Gra - zie!!
Thank you!!
FAL
Ford pos - se - de - re - te. Io
wife, fair A - lice, shall be yours. Her
pp
FAL
son già mol - to in - nan - zi; (non c'è ra - gion ch'io tac - cia Con
fav - our I'm as - sured of; I stand su - preme in her good
p

FAL
voi) fra u-na mez-z'o-ra sa-
graces; She hath con-sen-ted to
(come un urlo)
(violently)
FORD
Chi?...
Who?...
(con calma)
(calmly)
FAL
-rà nel-le mie brac-cia. A-li-ce.
yield to my em-bra-ces. Kind A-lice!
p
fff
p dolce
sottovoce
pp
FAL
Es-sa mandò di-an-zi u-na... confi-
Hi-ther this ve-ry day she sent me... a
FAL
-den-te Per dir-mi che quel tan-ghe-ro di suo ma-
mes-sage to tell me that from home her blockhead of a
cres.
f

FAL
-ri- to è as- sen- - - te Dalle due alle
hus-band is ab- - sent between two and
p
FORD
Dal-le du-e al-le tre... Lo co- no- sce- te?
Between two and three... Pray, do you know him?
FAL
tre. Il
three. Not
FAL
dia- - vo- lo Se lo por-ti al-l'in- fer- no con
I; the foul fiend may take him, for me, to join
(18)
f
ff
AGITATO ♩= 120
FAL
Me-ne-lao suo a-vo-lo! Quel
Me-ne-laus, his an-ces-tor! I'll
AGITATO ♩= 120
pp stacc.

FAL
tanghero, quel tanghero, vedrai, ve-
worry him, I'll flurry him, yes, yes, Give
FAL
-drai, vedrai, vedrai, vedrai! Te lo cor-ni-fi-co net-to,
heed, fair sir, and you shall see How I'll bam-boozle him neatly,
FAL
net-to! Se mi fra-
feat-ly! Should he prove
FAL
-stor - - - na Gli spa - rou - na gi - -
frow - - - ard, A skin - ful of sore

FAL
-ran - do - la di bot - te sul - le
bones he'll get from me, the pal - try
cor - na! Quel messer Ford è un
cow - ard! He's but a beast of
bu - e, un bu - e, un bu -
bur - den, of bur - den, of bur -
- e, un bu - e! Vedrai! Te lo cor-
- den, of bur - den! Give heed how I'll per-
f
ff
tr
p
pp

FAL
-bello, vedrai, te lo cor-bello, vedrai, vedrai, vedrai,
-plex him, give heed how I will vex him! give heed, and you shall see
FAL
Te lo cor-ni-fi-co net-to
How I'll bam-booz-le him, neat-ly,
FAL
net-to! Queltanghero, quel tanghe-ro, queltanghero, quel
feat-ly! The a-ni-mal! I'll worry him; the imbecile! I'll
FAL
tan-ghe-ro! Ma è
flur-ry him! A-

FAL
tar - di. Aspet_ta_mi qua.
-wait me; I will but don
ppp leggero
(19)
allarg. a piacere
(prende il sacco di monete ed esce dal fondo)
(exit C. taking the bag of money with him)
FAL
Va - do a far - mi bel - lo.
Somewhat bra - ver gar - ments.
col canto
f
mf
UN POCO PIÙ MOD.to ♩= 108
FORD
È so_gno?
Am I a - wake?
pp
ppp
FOR
o re_al_tà...
Or do I dream?
ppp

FOR
p
Due ra_mi e_nor_mi Cre_scon sul _ la mia te _ sta.
By visions dread and dire my soul's af - fright_ed.
pp
f
pp
sottovoce
È un so - gno?...
Am I dream - ing?
(20)
ALL.° AGITATO ♩= 120
Mastro
Master
dim.
ppp
p
Ford! Mastro Ford! Dor - mi?
Ford! Master Ford! 'Wake, thee!
cres.
Svegliati! Su!... ti de - sta! Tua mo_glie
Nincompoop! Wretch be - nighted! Thy wife is
f
f

FOR
sgarra e met_te in mal'as_set_to L'o_nor tuo, la tua
faith_less her shame and de_gra_dation Have wrecked thy home, thine
FOR
ca_sa ed il tuo let_ _ _ to!
honour, thy re_pu_ta_ _ _ tion!
ff
dim.
morendo
FORD LO STESSO MOV.to ♩=120
cupo
L'o_ra è fis_sa_ta,
LO STESSO MOV.to ♩=120
Fixed.... is the ho_ur
p
p
FOR
trama_ to l'in_gan_no;
pre_pared the be_tray_al;
p

sempre p
FOR
Sei gab_ba_to e truf_fa_to!...
Thou'rt the butt of the ci_ty!
(21)
p
allarg. ♩=80
con espansione
E poi di_ran_no.... Che un ma_ri_to ge_lo_so è un in_sen_sa_
Thy friends will say all.... That a hus_band be_fooled deserves no pi_
allarg. ♩=80
f
a tempo ♩=120
_to!
-ty!
a tempo ♩=120
p
Già die_tro a me no_mi d'infa_me
I seem to hear mur_murs of re_pro_

FOR
co_nio Fi_schian pas_san_do; mor_mo_ra lo
_ba_tion Scorn_ing my fol_ly, de_ri_ding my de_
FOR
scherno.
_lu_sion!
FOR
O ma_tri_mo_nio: In
Oh! cons_ter_na_tion! Con_
(22)
FOR
_fer_no!
_fu_sion!

FOR
Don - na: De - mo - - - - - - nio!
Death and dam - na - - - - - - tion!
p
f
FOR
Nel - la lor
Let none but
ff
FOR
mo - glie ab - bian fe - de i bab - be - i!
block - heads put faith in their spouses!
ff
FOR
Af - fi - de - rei......... La mia bir - ra a un Te - de - sco
For I would trust....... my best nag to a co - per,
pp
ff

FOR
Tut-to il mio
And to a
pp
FOR
de-sco a un O-lan-de-se lur-co,
high-way-man my hoar-ded pelf,.........
pp
ff
FOR
La mia bot-ti-glia d'acqua-vi-te a un
My flask of Nantz to an in-sa-tiate
pp
FOR
Tur-co, Non .... mia mo-glie a sè
to-per, But not my wife to her-
ff
pp

FOR
stes_sa. O lai_ _da
-self Oh cru_ _el
FOR
sor_te! Quella brut_ta pa_ro_ _la in cor mi
for_tune! Of all gladness and hope my life's de_
(con un grido)
(loudly)
FOR
tor_na: Le cor_ _na! Bu_e! Ca_
-nu_ded: De_lu_ _ded! Dullard! Poor
(23)
pp
f
mf
FOR
-pron! Le fu_sa tor_te! Ah! le cor_na le
dupe! In_sensate nin_ny! Ah! de_lu_ded de_

FOR
cor - na! Ma........... non mi sfug-gi-
-lu - ded! But........... thou shalt not es-
ff
FOR
-rai! no! soz-zo, re-o, Dan-na - - to e-pi-cu-
-cape, No! ruf-fian, trai-tor, Ac-cur - - - sed rogue and
f
FOR
-re-o! Pri - - ma li ac-
fai-tour! First I'll be-
pp
FOR
-cop-pio E poi li col-go, li ac-cop-pio, li
-wray him, And then I'll flay him, be-wray him and

FOR
col_go, li accop_pio, li col_go, li accoppio, li col_go, li col_go, li ac-
flay him, bewray him, and flay him, bewray him, bewray him, bewray him and
cres.
cres. sempre
FOR
-cop_pio!
flay him!
soffocato
p
Io
Then
ff
pp
FOR
scop_pio!
slay him!
FOR
morendo
ppp

con violenza
Molto più lento. ♩= 80
FOR
Ven_di_che_rò l'af_fron_to! Lau_
I will a_venge this outrage! Though
(24) Molto più lento ♩= 80
pp
f
pp
FOR
_da_ta sem_pre si_ _ a Nel fon_do del mio
I be scorned and spi_ _ ted This dead_ly wrong shall
pp
pp
FOR
cor.................. la ge_lo_si_ _ _ a.
ful.................. ly be re_qui_ _ _ ted!
ff

pp
dim.
(rientrando dalla porta del fondo. Ha un farsetto nuovo, cappello e bastone)
(enters C. wearing a new doublet, hat & stick)
FAL.
Eccomi
Good Master
p
pp
FAL
qua. Son pronto. M'ac-
Brook, I'm rea-dy. To
pp
FORD
Vi met-to sul-la
Right glad-ly I'll walk
FAL
-com-pa-gna-te un trat-to?
saun-ter are you min-ded?
pp

(si avviano: giunti sulla porta fanno dei gesti complimentosi per cedere la precedenza del passo)
(they go up the stage; at the door they ceremoniously yield precedence to each other)
FOR
vi_a.
with you.
p
FOR
FAL.
Pri_ma voi.
Nay, Sir, you.
Pri_ma voi.
Pray pass first.
No, no.
No, no.
tr
leggero
FAL
So - - no in ca - sa mi - a. Pas_
This is my poor dwel - ling. Pre_
pp
FORD
Pre - go...
Pray pass...
FAL
_sa - - te. È tar_di. L'appun_ta_men_to
_cede me. 'Tis late, sir, my ren_dez_vous is
pp legato

Fine della Parte I.ª Atto II.º
End of Part I, Act II.

ATTO SECONDO-PARTE SECONDA

Act Second-Part Second

UNA SALA NELLA CASA DI FORD.

A ROOM IN FORD'S HOUSE.

Ampia finestra nel fondo. Porta a destra, porta a sinistra e un'altra porta verso l'angolo di destra nel fondo che riesce sulla scala. Un'altra scala nell'angolo del fondo a sinistra. Dal gran finestrone spalancato si vede il giardino. Un paravento chiuso sta appoggiato alla parete di sinistra accanto ad un vasto camino. Armadio addossato alla parete di destra. Un tavolino, una cassapanca. Lungo le pareti un seggiolone e qualche scranna. Sul seggiolone un liuto. Sul tavolo dei fiori.

Large, open window C at back of stage, from which the garden is visible Doors R C, R, and L Staircases R. and L. A closed screen leaning against wall L, close by a huge fire-place Large cupboard against wall R A small table, a chest A couch and several stools along the walls A lute lying on the couch Flowers on the table

ALICE, MEG, *poi* QUICKLY, *poi* NANNETTA

Mrs FORD, Mrs PAGE, *then* DAME QUICKLY *and afterwards* ANNE

♩ = 132

ALL°. BRILLANTE

ALICE
Pre_sen_te_re_mo un bill per u_na tassa al parla_
The Parliament should pass a «Bill» im_posing heavy
(26)
brillante
A
_men_to, sul_la gen_te gras - - - - - sa.
tax_es on such fat knaves as Fal - - - - staff!
QUICKLY
(entra dalla porta a destra ridendo)
(enters, laughing, R.)
Co_
Fair
(accorrendo con Meg verso Quickly, mentre Nannetta ch'è entrata anch'essa resta triste in disparte)
(they advance to meet Dame Quickly. Anne enters and stands aside, sadly)
A
Eb_ben?
What news?
MEG
Che c'è?
What news?
Q
_ma_ri!
gos_sips!
Sa_rà scon_fit_to!
A dance we'll lead him!

A
Bra_va!
Well said!
Be_ne!
Bet_ter!
M
Be_ne!
Bet_ter!
Q
Fra po_co gli fa_rem la fe_sta!
What's more, we'll make him pay the pi_per!
tr
p
Q
Piom_bò nel lac_cio a ca_po
He fell in_to our trap head_
mf
ALI.
Narra_mi tutto, le_sta. Lesta.
Tell us thy story, tell us, tell us.
MEG
Lesta.
Tell us.
Q
fit_ _ _to.
fore _ _most.

ANDANTE ♩=66
Q
Giunta all'Al_bergo della Giarrettie _ _ ra Chiedo d'es_ser am_
'Twas at the Garter hostelry I sought him; And I craved for ad_
ANDANTE ♩=66
(27)
p
_mes_sa al_la pre_sen _ za del Ca_va_lier, se_gre_ta messag_
_mis_sion to the knight that I might im_part the message I had
poco più animato
_ge _ ra. Sir John si de _ gna d'ac_cor_dar _ mi u_
brought him. Sir John was pleased promptly to grant me
mf poco più animato
(voce grossa)
(pompously)
_dien_za, M'ac_co _ glie tron _ fio in fur _ fan_te _ sca
audience, And thus ac _ cost _ ed me with, ges _ ture con _ se _
p

COME PRIMA ♩ = 80
(contrafacendo Falstaff)
(imitating Falstaff)
(contrafacendo sè stessa)
(mimicking herself)
Q
po _ sa: «Buon gior _ no buona donna» «Re _ ve _ ren _ _
_ quen _ tial: «God save thee, worthy woman» «Sir, fair greet _ _
COME PRIMA ♩ = 80
pp
(28)
pp
Q
_ za» A lui m'in _ chi _ no molto os _ sequï _ o _ sa _ men _ _
_ ing» I curt _ sied deep and low, in manner de _ fe _ ren _ _
ppp
ppp morendo
PIÙ MOSSO ♩ = 132
Q
_ te, poi passo alle no _ ti _ zie ghiotte. Lui be _ ve grosso ed o _ gni
_ tial. Full art _ ful _ ly I told my story; He sli _ ly winking Sate gloating
PIÙ MOSSO ♩ = 132
mf
m.s.

Q
mia mas-sic-cia frot-to-la in-ghiot-te.
on my ev'-ry word, and deep-ly drink-ing.
LO STESSO MOVIMENTO ♩ = 132
In-fin, per far-la spic-cia, vi cre-de en-
To cut a long tale short, he is thorough-ly per-
LO STESSO MOVIMENTO ♩ = 132
ppp leggerissimo e stacc.
-tram-be in-na-mo-ra-te cot-te Del-le bel-lez-ze
-sua-ded that you are both be-side yourselves for love of his huge
(ad Alice)
(to Mrs Ford)
su-e. E lo ve-dre-te pre-sto, pre-sto, presto ai vo-stri
carcase. And so full soon you'll see him wal-low prostrate at your

ALI.
Quando?
When?
Q
piè. Og-gi, qui, dal-le du-e al-le
feet. Di-rect-ly, here; bet-ween two and
(29)
f
p
(guardando l'oriolo)
(looking at the clock)
A
Son già le du-e! Dalle du-e alle
'Tis two al-rea-dy! Between two and
MEG
Dalle du-e alle tre, Dalle du-e alle tre.
Between two and three, Between two and three.
Q
tre.
three.
f
A
tre.
three.
(all'una)
(to one)
(all'altra)
(to the other)
(a tutte e due)
(to both)
Q
dalle du-e alle tre, dal-le due alle tre, dalle due alle
Between two and three, between two and three, between two and
p
cresc.
f

LO STESSO MOVIMENTO ♩ = 126
(accorrendo al fondo e chiamando)
(going up stage C, and calling out)
(a Quickly)
A
O - là! Ned! Will!
What ho! Ned! Will!
Già tutto ho prepa -
To re - ceive him all is
Q
tre!
three!
LO STESSO MOVIMENTO ♩ = 126
p
pp
(torna a gridare)
(calling out)
- ra - to.
ready.
Por - ta - te qua la cesta del bu - ca - to.
Bring hither, quick, the basket of foul lin - en.
(30)
Nan - netta, e tu non
My Nannie, Why so des -
QUIC.
Sarà un af - fare ga - io!
A famous notion truly!

A
ri - di? Che co - s'hai?
- pon - dent? What is wrong?
espressivo
p
(avvicinandosi a Nannetta ed accarezzandola)
(caressing Anne)
A
Tu piangi?.. Che cos'hai? Dillo a tua madre.
Thou'rt weeping?.. Tell me why. Tell thy fond mother.
A
Eb - ben? Eb - ben?
Well, well? What next?
NANNETTA
(singhiozzando)
(sobbing)
Mio padre... mio padre... mio padre...
My father... my father... my father...

A
N
(scoppiando in lagrime)
(bursting into tears)
Vuo - le.......... ch'io mi ma - riti al Dottor Ca - jo!!.........
Tells me.......... that I must marry Doctor Cai - us!............
A quel pe -
That stu - pid
f
p
- dan - te?!
ped - ant?
A quel grullo!
That dullard!
A quel bi - sa - vo -
That old grand - fa - -
MEG
A quel gonzo!
That blockhead!
QUIC
Oi - bò!
Good Lord!
ff

A
No! No! No, no, no, no!
No! No! No, no, no, no!
N
lo! No, no, no, no! Piut_to_sto la_pi_da_ta
_ther! No, no, no, no! I can_not wed that ancient
M
No, no, no, no, no, no!
No, no, no, no, no, no!
Q
No, no, no, no, no, no!
No, no, no, no, no, no!
A
Da u_na mi_traglia di tor_si di ca_ _ _ _vo_
Thou shalt be pel_ted by cabbagestalks ra_ _ _ _
N
vi_va...
mummy...
p
(31)

A
_lo.
_ther!
Non te _ mer.
Sweet, fear naught!
(saltando di gioja)
(jumping with joy)
N
Ev_
De_
MEG
Brava!
Brava!
QUIC
Ben detto!
Well said!
p
(Intanto entrano due servi portando un cesto pieno di biancheria)
(Enter two serving men carrying a basket full of dirty linen)
N
_vi _ va! Col Dottor Ca _ jo non mi spo _ se_
_lightful! To Doctor Cai _ us I shall not be
(ai servi)
(to the men)
ALI.
Presto senza misura
Mette _ te là. Poi, quando avrò chiama_to, Vuo _ te _ re _ te la cesta nel fos_
Put it down there. Then when again I call you, promptly empty the basket into the
N
_rò!
wed!
col canto

(a Nannetta)
(to Anne)
(ai servi che escono)
(to men, who exeunt)
A
-sa-to. Ta-ci. An-da-te.
river. Silence! Be-gone!
N
Bum!
Splash!
Che bombar-da-men - to.
What a hor-rid tum - ble!
a tempo
f
col canto
a tempo
ff
A
Pre-pa-ria-mo la scena.
Now set ev'-ry-thing ready.
(32)
mf
(corre a pigliare una sedia e la mette presso al tavolo)
(places a chair near the table)
p
pp legg.
ALI.
(Nannetta corre a pigliare il liuto e lo mette sul tavolo)
(Anne fetches her lute and lays it on the table)
Qua una sedia.
Here a footstool.

NAN.
Qua il mio liuto.
Here my lute.
(a Nannetta e Meg, le quali corrono a prendere il paravento, lo aprono dopo averlo collocato fra la cesta e il camino)
(to Anne and Mrs Page, who set up the screen between the basket and the fireplace and then open it)
ALI.
A _ priamo il pa_ra _ vento.
The screen, too, let us op_en!
ALI.
Bra _ vissi _ me! Co_sì!
That's better far! Just so!

A
Più aperto an_co_ra,
A lit_tle wi_der!
a piacere
Fra po_co s'in_co_min_cia la com_
The scene is set, there's naught our play to
ppp
ALLEGRO ♩. = 108
_media!
hinder!
ALLEGRO ♩. = 108
(33)
p
pp
pp mezza voce
Ga_je co_ma_ri di Wind_sor! è
Soon the chief ac_tor will en_ter; there_
p

leggeriss.
f
pp
mf
f
A
l'o - - - - ra! L'o - ra d'al_zar la ri -
-aft - - - - er We shall en - joy our fill of
-sa - - ta so - no - - ra! L'al - - ta ri -
mirth - - ful laugh - ter! Laugh - ter that
-sa_ta che scoppia che scher - - - - za, Che
soon to his sen_ses will bring him Will
sfol - - go_ra, ar - ma - ta di dar - - di e di
mock............... and will shame him, will scourge .... and will

A
sfer_za! Ga_ie co_ma_ _ri! fe_
sting him! We are but wo_ _men, yet
(34)
pp
A
sto _sa bri_ga_ _ta! Sul lie_to vi_ _so spunti il sor_
when............ we're put to it, He who mo_lests us surely shall
molto stacc.
A
_ri_ _so Splenda del ri_so l'a_cu_to ful_gor!.......... Fa_
rue it, For we will flout him and laugh him to scorn!.......... And
f
ppp
A
vil _ _la, fa_vil_la in_cen_dia_ria di gio_ia nel_
make him wish, and make him wish that he ne'er had been
f
ppp

A
l'a - - - - ria, Di gio - ia........................ nel
born,.. That he had ne'er......... been
f
A
cor. A noi!
born. And now!
(35)
f
PPP legg.
(a Meg)
(to Mrs Page)
A
Tu la par_te fa_rai che ti spetta.
Thou hast mastered thy part, and wilt play it.
MEG
(ad Alice)
(to Mrs Ford)
Tu
And

M
cor - ri il tuo ri - schio col gros - so com - par.
thou art pre - pared - to en - coun - ter the knight.
f
(a Quickly)
(to Quickly)
ALI.
Se sbagli ti fischio.
He cannot de - lay it!
QUIC
Io sto alla ve - detta.
I'll signal his coming.
pp
f
pp
f
NAN.
Io resto in di - spar - te sul - l'u - scio a spi - ar.
I'll wait on the stair - case, and keep out of sight!
pp

MODERATO ♩ = 100
ALI.
E mostre - remo all'uom che l'al - le - gri - a D'o - neste
And we will prove by harmless fun and fro - lic That honest
MODERATO ♩ = 100
(36)
p
donne ogni o - ne - stà com - por - ta. Fra le fe - mi - ne quella è la più
women may be both wise and jol - ly. Oft the wife who is most inclined to
f
p
ingrossando la voce
COME PRIMA
ri - a Che fa la gatta - mor - ta.
rollick Appears most melan - cho - ly!
NAN.
Ga - ie co - mari di
Soon our chief actor will
MEG
Ga - ie co - mari di
Soon our chief actor will
COME PRIMA
f
pp e stacc.
m.d.

(intanto Quickly va alla finestra del fondo, guardando sulla strada)

(Dame Quickly stands by window C. overlooking street)

A
_zar la ri_sa_ta so_no_ra, so_no_ra, so_no_ra!
laughter, free mirth and gay laughter, free mirth and gay laughter!
N
_zar la ri_sa_ta so_no_ra, so_no_ra, so_no_ra!
laughter, free mirth and gay laughter, free mirth and gay laughter!
M
_zar la ri_sa_ta so_no_ra, so_no_ra, so_no_ra!
laughter, free mirth and gay laughter, free mirth and gay laughter!
(37)
p
A
Dov' è?
And where?
N
Presto.
Hurry!
M
(avvicinandosi alle altre)
(approaching the others)
QUIC
Ec_co_lo! È lui! Po_co di_scosto.
Haste away! 'Tis he! Quite near the house.
p

(a Nannetta, indicando l'uscio a sinistra)
(to Anne, pointing L.)
(a Meg, indicando l'uscio di destra)
(to Mrs Page, pointing R.)
A
Tu di qua. Tu di là. Al posto!
That way, thou! This way, thou! Delay not!
(esce correndo da sinistra)
(exit hurriedly L.)
N
Al
De-
M
Q
A sa_lir s'av_vi_a.
He's about to enter.
(Alice si siede accanto al tavolo, prende il liuto farà qualche accordo)
(Mrs Ford sits down by the table, and strikes a few chords on the lute)
A
N
po_sto!
_lay not!
(esce correndo da destra)
(exit hurriedly R)
M
Al po_sto!
De_lay not!
(esce dal fondo)
(exit C)
Q
Al po_sto!
De_lay not!

MODERATO ♩. = 60
(38) (Chitarra)
(Guitar)
(entra con vivacità - vedendo che Alice sta suonando si mette a cantarellare)
(enter Falstaff briskly: perceiving Mrs Ford playing the lute he begins to sing)
FALSTAFF
Al_fin t'ho
At last I've
FAL
allarg.
dolce
col_to raggian_te fior........ T'ho col_ _to!...
caught thee, my heav'nly jew_el, I've caught _thee!

(prende Alice pel busto. Alice cessa di suonare e si alza deponendo il liuto sul tavolo)

(seizes Mrs Ford by the waist; she ceases playing, puts down the lute, and arises)

FAL
Non so far lo sve - ne - vo - le, Nè lu - sin -
I am lacking in gra - ciousness, And in the
FAL
- gar, nè u - sar frase fio - ri - ta, Ma di - rò
mas - te - ry of flow'ry phras - es, But I can
ALI.
Cio - è?
And how?
FAL
to - sto un mio pen - sier col - pe - vo - le. Cio -
speak my thoughts with frank au - daciousness. Why,

FAL
_è: Vor_rei che Ma_stro Ford pas_sasse a mi_glior
thus; I would that Mas_ter Ford lay un_derneath the
pp
ALI.
Perchè?
And why?
FAL
vi_ta... Per_chè?_ Lo chiedi? Sa_re_sti la mia
daisies... And why? Can'st ask me? Then thou should'st be my
A
Po_ve_ra Lady inver!
A poor sort of la_dy, truly!
FAL
La_dy e Falstaff il tuo Lord!
la_dy, and I would be thy lord!
Degna d'un Re. T'im_
Fit for a King! Right
f

LO STESSO TEMPO ♩ = 88
sostenuto
FAL
_ma _ gi _ no fre _ gia _ ta del mio stem _ _ ma,
wor _ thy thou to bear mine an _ cient name,
(40)
LO STESSO TEMPO ♩ = 88
p
p
FAL
Mo _ strar fra gemma e gemma la pompa del tuo sen... Nel _
Decked out with lace and jewels, as be _ fits a no _ ble dame... With
ALLEGRETTO ♩ = 88 Lo stesso movimento
FAL
_ l'iri ar _ den _ te e mobi _ le dei rai del _ l'a _ da _ man _ te, Col
golden chains en _ twin _ ing Thy tres _ ses of gold still brighter, And
ALLEGRETTO ♩ = 88 Lo stesso movimento
pp
FAL
picciol piè nel nobi _ le cer _ chio d'un guardin _ fan _ te Ri _
on thy white neck shin _ ing Pearls that are scarcely whi _ ter. Thy
f

FAL
-splende - rai più ful - gi - da d'un am - pio arco-ba - len
dazzling eyes like lamps of love, fresh lit by Cupid's flame!
(41)
p
ALI.
dolciss. con grazia
O - gni più bel gio - iel mi nuo - ce e spregio il fin - to
On me all gauds would seem un-sight - ly To flaunt in silks I
A
i - do - lo d'or. Mi basta un vel le - gato in cro - ce,.........
nev-er pro-pose; I wear a kerchief knotted light - ly..........
(si mette un fiore nei capelli)
(sets a rose in her hair)
A
.... un fregio al cin - to e in testa un
.... a sim-ple gir - dle. A fragrant

SEMPRE LO STESSO MOV.to ♩ = 88
(fa un passo indietro)
(retreating)
A
fior.
rose.
A_du_la_tor!
Flattering knight!
(per abbracciarla)
FAL. (as if to embrace her)
Si_re_na!
Sweet Si_ren!
So_li noi siamo e non te_miamo ag_
We are a_lone, and need fear no in_
SEMPRE LO STESSO MOV.to ♩ = 88
p
Eb_ben?
What then?
(scostandosi)
(retreating)
Voi sie_te nel pec_
Love is a strange de_
FAL
_gua_to.
_tru_sion.
Io t'a_mo!
I love thee!
string. a poco a poco
_ca_to!
_lu_sion!
(avvicinandola)
(approaching her)
Sem_pre l'a_mor l'oc_ca_sï_o_ne az_
But Love ne'er fails to seize u_pon oc_

A
Sir John!..
Sir John!..
FAL
-zec-ca. Chi se-gue vo-ca-zion non
-ca-sion. It sins but by pre-des - -ti-
cres.
FAL
pec-ca. T'a - - - mo! e non è mia
-na-tion. I love - - -thee! and thou can'st not
f
(interrompendolo)
ALI. (interrupting)
(con caricatura)
(mockingly)
Se tan-ta a-ve-te vul-ne - ra - bil
That, stirr'd by pas - sion, you should strive to
FAL
col-pa...
blame me...
(42)
dim.

ALL°. CON BRIO ♩=112
A
pol_pa.
shame me.
leggeriss.
FAL
Quand'e_ro pag_gio del Du_ca di Nor_folk e_ro sot_
When I was page to the Duke of Norfolk's Grace, Slender of
ALL°. CON BRIO ♩=112
ppp
FAL
_ti_le, sot_ti_le, sot_ti_le, E_ro un mi_rag_gio va_go, leg_
fig_ure and comely of face, Buoyant and light as a fea_ther or
FAL
_gie_ro, gen_ti_le, gen_ti_le, gen_ti_le. Quel_lo e_ra il
shadow I hovered in space, in space: Those were my
FAL
tem_po del mio verde a_pri_le, Quel_lo e_ra il tempo del mio lie_to
gladdest, gayest times for_sooth, May days and heydays of my lus_ty
p

FAL
Maggio. Tant' e_ra smil_zo, fles_si_bi_le e snello Che sarei guiz_
youth. I was so lithe_some and supple and nimble, That I could have
_za_to attra_ver_so un a_nel_lo. Quand'ero paggio e_ro sot_
squeezed my_self in_to a thimble! Yes, as a page I was slender of
_ti_le, e_ro sot_ti_ _ _le, E_ro un mi_
fig_ure and comely of face........................ Buoy_ant and
_rag_gio va_go, leg_gie_ro, gen_ti_le, gen_ti_le, gen_
light as a feather or sha_dow I hovered in space, in
p

ALI.
LO STESSO MOVIMENTO ♩. = 112
Voi mi ce - lia - te.
You would de - ceive me!
FAL
- ti - le!
space.
(43)
LO STESSO MOVIMENTO ♩. = 112
f
A
Io te - - mo i vo - stri in - gan - ni.
A - las!.................... your vows are false ones.
p
A
Te - mo che a - mia - te...
Meg...
You love an - oth - er...
Meg...
FAL.
Chi?
Whom?
Co - lei?..............
Meg Page?.............
f

A
FAL
Non tra_
Can I
M'è in ug _ gia la......... sua fac_cia.
.... Her face is re _ pul _ _ sive to me!
_di_ _te_ mi John...
trust to your word?...
Mi par mil_ _
I on_ _ly
_le an_ ni d'a_ ver_ti fra le brac_ _ _
live to........... clasp thee in my fond..................... em_
pp
f

ALI.
(difendendosi)
(resisting him)
Per ca_ri _ tà!...
Be not so bold!...
QUI(
(di dentro)
(from within)
Si_gno_ra A_
Good Mis_tress
(rincorrendola e tentando d'abbracciarla)
(attempting to kiss her)
(la prende traverso il busto)
(encircling her waist)
FAL
_cia. T'a_mo... Vie_ni!
_brace I love thee!... Dearest!
f
A
Che c'è?
What now?
(entrando e fingendo agitazione)
(enters, feigning great agitation)
(rapidamente ed interrotta dalla foga)
(panting)
Q
_li _ ce! Si_gno_ra A_li _ ce! Mia si_
A _ lice! Good Mis_tress A _ lice! My good
(abbandona Alice e rimane turbato)
(lets Alice go)
FAL
Chi va là?
Who is there?

ALL°. AGITATO ♩=112
Q
- gnora! C'è Mistress Meg, e vuol par - larvi,
lady! 'Tis Mis - tress Page who fain would see you.
(44)
ALL°. AGITATO ♩=112
PP e molto stacc.
Q
sbuffa, strepita, s'abba - ruffa...
panting, trembling, panic - stricken...
E vuol pas -
She's at the
FAL.
Al - la ma - lo - ra!
The devil take her!
Q
- sar e la trat - ten - go a stento...
door, and will not brook de - ni - al...
FAL
Do - ve m'a - scondo?
Where can I hide me?
sempre staccatissimo

ALI.
(Falstaff si rimpiatta dietro il paravento. Quan.
(Falstaff ensconces himself behind screen. When
Die_tro il pa _ ra _ ven _ to.
There be _ hind the screen.
do Falstaff è nascosto, Quickly fa cenno a Meg che sta dietro l'uscio di destra: Meg entra fin.
he is hidden, Dame Quickly beckons Mrs Page, who enters R. in apparent agitation. Exit Dame
MEG
A _
Dear
gendo d'essere agitatissima. Quickly torna ad escire)
Quickly)
M
_ li _ _ ce! Che spa_ven _ to! Che
A _ _ lice! What a scan _ _ dal! What
(45)
f
M
chiasso! Che di _ scordia! Non per_de_re un mo_
clamour! What con _ fusion! Lose not a sin_gle

ALI.
Mi - se - ri - cor - dia! Che av -
Mer - ci - ful Hea - ven! What has
M
- men - to, fug - gi!...
mo - ment, but fly!...
pp e sempre stacc.
A
- ven - ne?
happened?
M
Il tuo con - sor - te vien gri - dan - do ac - cor -
Good Lack! your hus - band hith - er comes cry - ing
A
a bassa voce
(Par - la più for - te.)
(A lit - tle loud - er.)
M
- ruo - mo! Di - ce... Che
vengeance, vow - ing... He'll
p

A
(Non ri_de_re.)
(Nay, laugh not!)
M
vuol scan_na_re un uomo!
skin some man a _ live!
M
Ei cor_re_va in_va_so da tre_men _ do fu _
On_ward still he rush_es, fired by burn _ _ _ ing
M
_ ror! Ma_le_di_cen _ do tut_te le fi_glie
rage, Loud_ly in _ vok _ ing cur_ses up_on all
f
ALI.
Mi_se_ri_cor _ _ _
Ye hea_venly Pow _ _ _
M
d'E _ va!
wo _ men!
(46)
ff
ff
pp

A
M
Q
QUIC.
-dia!
-ers!
Di - ce che un tuo gan - zo hai na -
He says you have con - cealed here a
-sco - sto, Lo vuo - le ad o - gni co - - -
lov - er, Whose hi - ding place he's sworn
-sto sco - prir....
to dis - cover....
(ritornando agitatissima e gridando)
(re-enter Dame Quickly exclaiming)
Si - gno - ra A - li - ce! Vien ma - stro
Good Mis - tress A - lice! Your hus - band's
ff tutta forza
Ford! Sal - va - te - vi! È co - me u - na tem - pe - sta!
nigh! A - wait him not! He ra - ges like a tempest!

Q
Strepi_ta, tuo_na, ful_mi_na, Si dà dei pu_gni in
thundering, roar_ing, bel_lowing, His forehead fiercely
(avvicinandosi a Quickly a bassa voce e un pòco allarmata)
(somewhat alarmed, aside to Dame Quickly)
ALI.
(Das_
(In
Q
te_sta, Scop - - pia in mi_naccie ed ur - la...
stri_king, mad - - dened by jea_lous fu - ry...
ff
(47)
ff
A
_sen_no op_pur da bur_la?)
earn_est or in jest?)
Q.
Das _ sen_no.
In earnest.
p
pp
f
dim.

PIÙ MOSSO ♩=138
Q
E_gli sca_val_ _ca le sie_pi del giar_
He forced his way through the hedge that skirts the
PIÙ MOSSO ♩=138
pp staccate
Q
_di_no... Lo se_gue u_na gran cal_ _ca di
gar_den... And hard at heel a crowd followed
Q
gen_te... è già vi_ci_no... Mentr'io vi
af_ter... he's close at hand... I hear his
p
Q
par_ _lo ei val_ _ca l'in_gres_so...
step ap_proach_ing the doorway...
(di dentro urlando)
(behind the scene)
f
FORD
Ma_lan_dri_ _no!!
Vile sub_or_ _ner!!
FAL.
Il
Sure

(Falstaff agitatissimo avrà già fatto un passo per fuggire, ma udendo la voce dell'uomo torna a rimpiattarsi: Alice con una mossa rapidissima lo chiude nel paravento in modo che non è più veduto)

(Falstaff, greatly alarmed, advances a step towards the door, but hearing Ford's voice returns to his hiding place. and Mrs Ford rapidly folds screen round him, so that he is completely concealed)

(a Cajus)
(to Caius)
FOR
-gna_le! Cor_re_te sul_l'or_me, sul_l'u_sta.
ver_min! By scent, like a fox, we will track him.
(a Fenton)
(to Fenton)
(a Bardolfo e Pistola indicando la camera a destra)
(to Bardolph and Pistol, pointing R)
FOR
Tu fruga ne_gli andi_ti. Sven_ta_te la
Search thou in the cor_ridors. Cut off his re_
BAR.
(irrompono nella sala gridando, mentre Fenton corre a sinistra)
(rush in shouting, Fenton crossing L.)
A cac_cia!
Hark forward!
PIS.
A cac_cia!
Hark forward!
ALI.
(affrontando Ford)
(facing Ford)
Sei tu dis_sen_na_to? Che
Pray, are you dis_tracted? What
(Bardolfo e Pistola si precipitano nella camera coi bastoni levati)
(exeunt Bardolph and Pistol L., brandishing cudgels)
FOR
fu_ga! Cer_ca_te là dentro!
treat, and guard ever_y ex_it!
p

A
fai?
ails you?
(vedendo il cesto)
(perceiving the basket)
FOR
Chi c'è den - tro quel
(49)
That bask - - - et! What is
A
Il bu - ca - to.
Dirt - y lin - en.
FOR
ce - sto?
in it?
(ad Alice)
(to Mrs Ford)
FOR
Mi la - - vi!! rea
And thou art still
f
p

(consegna un mazzo di chiavi al D.r Cajus, che poi esce
(hands bunch of keys to Caius, who runs off L.)
FOR
mo - glie! Tu, pi - glia le
foul - er! Take thou all the
ff
p
correndo dall'uscio di sinistra)
FOR
chiavi, ro - vi - sta le cas - se!
keys, o - pen wardrobes and cupboards!
f
p
(ancora ad Alice)
(to M.rs Ford)
FOR
Ben tu mi la - vi!
Thou hast be - fouled me!
ff
(dà un calcio alla cesta)
(gives the basket a kick)
(gridando verso il fondo)
(shouting up stage)
FOR
Al dia - vo - lo i cenci! Spran - ga - te - mi
The deuce take the tatters! Let both of the

(estrae furiosamente la biancheria dalla cesta, frugando e cercando dentro e disseminando i panni sul pavimento)
(pulls all the linen out of the basket, strewing it about the floor furiously)
FOR
l'u - scio del par - co! Ca -
park - gates be bol - ted! Foul
(50)
p
FOR
- mi - cie... gon - nel - le... Or ti sgu - scio bric -
tuckers,.. and smocks, too... If I catch thee, vile
FOR
- con! Strofi - nacci! Via!..
hound! Dirty dusters, faugh!
(frugando nel cesto)
(ransacking the basket)
FOR
Via!.. Cuf - fie rot - te! Ti
faugh! rumpled coifs, too. I'll
f

FOR
sguscio- Len_zuo_la... ber_ret_ti da
find thee! Soiled bed_sheets... and frowsy old
(51)
pp
Facilitato
(guardando i panni sparsi)
(looking at the scattered linen)
ALI.
Che u _ ra_
What a
MEG
Che u _ ra_
What a
QUIC.
Che u _ ra_
What a
FOR
not_te... -Non c'è...
nightcaps... but not he!

A
ga - - no!!
tur - - moil!
M
ga - - no!!
tur - - moil!
Q
ga - - no!!
tur - - moil!
FOR
Cer - chiam sot - to il
Look un - - der the
p
FOR
let - to, Nel for - no, nel poz - zo, nel
bed - steads. In the o - ven, the draw - well, the
(correndo e gridando, esce dalla porta a sinistra)
(rushes out L, shouting)
FOR
ba - gno, sul tet - to, In can - ti - na...
cis - tern, the chim - neys, and the kit - chen!
cres.
ff

ALI.
È far - ne-ti-co!
He's a lu-natic!
Tro-via-mo
How shall my
QUIC.
Co-gliam tem-po.
Take it cool-ly.
(52)
pp
A
mo-do co-m'e-gli e-sca.
luck-less knight es-cape him!
No,
No,
MEG
Nel pa-nier.
In the bas-ket.
A
là den-tro non c'en-tra, è trop - - po
the thing will not hold him... he's much too
(sbalordito, avrà aperto con cautela il paravento)
(cautiously un-folds the screen)
FAL.

A
gros-so.
port-ly.
(sbucando e correndo alla cesta)
(advances towards the basket)
FAL
Ve-diam;
Let's see;
FAL
sì
yes,
c'en-tro,
I'll in,
ALI.
(esce) (exits)
Cor-ro a chiama-re i ser-vi.
Quick, let me call the ser-vants.
MEG
(fingendo sorpresa)
(affecting surprise)
Sir
Sir
FAL
c'en-tro.
I'll in.
(53)

M
John! Voi qui? Voi? (entrando nella cesta)
John! You here? You? (getting into the basket)
FAL
T'a - mo!
I love thee!
FAL
A - mo te so - la... sal - vami!
Thee, dear - est, on - ly... Save me!
MEG
Le - sto!
Has - ten!
(a Falstaff, raccattando i panni)
(picking up the linen, to Falstaff)
QUIC.
Svel - to!
Hur - ry!
FAL
sal - vami!
Save me!

M
Svelto!
Has-ten!
Q
Svelto!
Hur-ry!
(accovacciandosi con grande sforzo nella cesta)
(squeezing himself by sheer force into the basket)
FAL.
Ahi! Ahi! Ci
At last! I'm
cresc.
(a Meg-e fra tutte e due con gran fretta)
(to Mrs. Page, very hurriedly)
QUIC.
Pre - sto!
Quick, now!
FAL
sto... Co - pri-temi...
in... Pray, cov-er me!..

(Nannetta e Fenton entrano da sinistra - Nannetta a Fenton sottovoce e con cautela)
(Enter Anne and Fenton L., whispering cautiously)
NAN.
(Vien
(Come
Q
col-mia-mo il ce-sto.
fill up the bas-ket.
f
ALL.º ♩=138 LO STESSO MOV.to
(avviandosi al paravento)
(approaching the screen)
N
qua.
hither.
Quan-ti schia-mazzi!
What a strange antic!
FENTON
(Che chiasso!
(What clamour!
(54) ALL.º ♩=138 LO STESSO MOV.to
p
(Fenton la segue)
(Fenton follows)
N
Se-gui il mio passo.
Fol-low my footsteps.
FEN
Ca-sa di pazzi!
Sure they are frantic!

N
Qui ognun de - li - ra con va - rio er - ror. Son
Each in his fash - ion Mad - ness dis - plays; Re -
N
paz - zi d'i - ra...
FEN. - venge their pas - sion...
E noi d'a - mor.
And love our craze!
(lo prende per mano, lo conduce dietro il paravento e vi si nascondono)
(takes him by the hand, leads him behind the screen, where both conceal themselves)
N
Segui - mi. A - dagio. Toc -
Follow me, I prithee. Here
FEN
Nes - sun m'ha scorto
No eye has 'spied me.
pp

N
chia - mo il por - to. Sta
safe - ly I'll hide me. We
FEN
Sia - mo a no - str'a - gio.
Keep - ing me with thee.
N
zit - to e at - ten - to.
must not be seen, love!
(abbracciandola)
(embracing her)
FEN
Vien sul mio pet - to!
What should re - veal us?
cresc.
N
Il pa - ra - ven - to sia be - ne - det - to!)
Blest be the screen, love, That thus doth con - ceal us!)
FEN
sia be - ne - det - to!)
That thus doth con - ceal us!)
DR CAJUS
(urlando di dentro)
(shouting from within)
Al
The

I.º TEMPO ♩= 138
(entra, traversando di corsa la sala)
(crosses stage rapidly)
D.r C
la - dro!
ruf - fian!
Squar - ta - te - lo!
Lay hold of him!
(entra di corsa, mentre Bardolfo e Pistola corrono da destra)
(enters hastily L, Bardolph & Pistol rush in R)
(urlando di dentro)
(shouting from within)
FORD
Al pa - gliar - do! Al la - dro!
Bloat - ed min - ion! Vile ruf - fian!
(55)
I.º TEMPO ♩= 138
ff
(a Pistola, che incontra)
(to Pistol)
FOR
C'è?
Found?
PISTOLA
No.
No.
pp
BARDOLFO
Non c'è, no.
A - las! no.
(a Bardolfo)
(to Bardolph)
(correndo, cercando e frugando nella cassapanca)
(running about and searching everywhere)
FOR
C'è?
Found?
Va - da a soq -
Hap - ly he
mf
poco cresc.

(dopo aver guardato nel camino)
(looking up the chimney)
Dr C
FOR
Non tro - - vo nes-
He can - - not be
(Bardolfo e Pistola escono da sinistra)
(exeunt Bardolph & Pistol L.)
-qua - - dro la ca - sa.
lurks be - hind some cur - tain!
Dr C
-su - no.
found here.
FOR
Eppur giu - ro, che l'uomo è qua den - tro. Ne so - no si-
And yet here he is hid - den for cer - tain, I know it for
(56)
p
Dr C
Sir John!............ Sa - rò ga - io quel dì che ti
Sir John!............ I shall laugh myself sore When you
FOR
-cu - ro, si - cu - ro, si - cu - ro!
cer - tain, I know it, I know it!

Dr. C
veda dar calci a ro - va - - io!
caper aloft with the sky for your floor!
(slanciandosi verso l'armadio e facendo sforzi per aprirlo)
(dashes at the wall-cupboard, & endeavours to force it open)
FOR
Vien fuo-ra, fur - fan - te! O bom-
Come out, thou fat villain! Or I'll
(tenta aprire l'armadio colle chiavi)
(tries to open cupboard with key)
Dr. C
T'ar - ren - di!
Sur - ren - der!
FOR
-bar - - do le mu - ra! Vien
burst in the pan - els! Sur-
p
(entra con Pistola dalla porta di sinistra, di corsa)
(re-enters with Pistol, hurriedly L.)
BAR.
Nes-
There's
FOR
fuo - - ra! Co - dar - do! Su - gliar - do!
-ren - - der! Base cow - ard! Foul brag - gart!
PIS.
Nes-
There's
cres.

B
-su - no!
no one!
(continua a sforzare l'armadio col Dr. Cajus, mentre Bardolfo e Pistola ritornano d'onde erano venuti)
(still forcing open the cupboard with Caius. Bardolph & Pistol rush out again)
FOR
Cerca - te - lo an - co - ra! T'ar-
Go look for him else - where! Sur-
P
-su - no!
no one!
(riesce finalmente ad aprire l'armadio)
(breaks open the cupboard)
FOR
-ren - di! Scan-far-do! Non c'è!!
-ren - der! Base coward! He's not there!
(57)
pp
Dr. C.
(aprendo a sua volta la cassapanca)
(opening the chest)
Vien fuo - ra! Non
Come out, then! He's not

(gira per la sala sempre cercando e frugando)
(runs about the room, prying & searching)
Dr.C
c'è!! Pappa - lar - - do! Be-
there!! Futile boast - - er! Pol-
-òn! Ba-da a te!
-troon! Have a care!
Sca-gnar-do!
Base cow-ard!
(come un ossesso aprendo il cassetto del tavolino)
(tears open the table-drawer, quite beside himself)
FORD
Sca - gnar - do! Fal - sar - do! Sca-
Base cow - ard! Foul brag-gart! Fat
(58)
tr
ff
Fal - sar - do! Sca - gnar-do! Fal - sar - do! Bric-
Foul brag - gart! Base cow-ard! Vile brag - gart! Foul
FOR
-gnar-do! Bric - con! Sca - gnar-do! Fal - sar - do! Bric-
vil-lain! Vile brute! Base cow-ard! Vile brag - gart! Foul
3

(Nannetta e Fenton sempre dietro il paravento si saran fatte moine durante il frastuono)
(Anne & Fenton, still behind the screen aware only of each other during all the commotion)
Dr.C
-con!
brute!
FOR
-con!
brute!
p
dim.
(si danno un bacio sonoro-in questo punto è cessato il baccano e tutti sentono il susurro del bacio)
(They exchange an audible kiss, just as the turmoil subsides into a momentary silence)
NAN.
bacio
kiss
FEN.
bacio
kiss
vuota
(sottovoce, guardando il paravento)
(under his breath, looking at screen)
C'è.
'Tis he!
pp
sempre a tempo
ANDANTE ♩= 80
(avviandosi cautamente al paravento)
(cautiously approaching screen)
Se ti pi-glio!
If I seize you!
(avviandosi pian piano e cautamente al paravento)
(cautiously approaching screen)
Se t'ag- -guanto!
If I catch you!
Se t'ac-
If I
(59)
p

Dr C
Se t'ac - cef - fo!
If I squeeze you!
FOR
- ciuf - fo!
snatch you!
Ti scon-
I will
Dr C
T'arronci - glio come un can!
I will beat you like a hound!
Guai a
Aye! and
FOR
- quasso!
thrash you!
Ti rompo il cef - fo!
And break and smash you!
f
(accanto alla cesta, a Meg)
(close to the basket, to Mrs Page)
QUIC.
Fac - cia - mo le vi - ste d'at - ten - de - re ai
Now let us be bu - sy, the lin - en ar-
(sottovoce)
(under his breath)
Dr C
te!
dash you!
Guai a
On the
FOR
Pre - ga il tuo San - to!
up - on the ground!
p e stacc.

Q
pan - ni; Pur ch'ei non c'in - gan - ni con mos - se im - pre -
- rang - - ing, And give him a chance his po - si - tion of
D.r C
te! Guai!
ground! Aye!
FOR
(accanto alla cesta, a Quickly)
(close to the basket to Dame Quickly)
MEG
Fac - cia - mo - gli sie - pe fra tan - to scom -
Let's pile the clothes on him, and thor - ough - ly
Q
- vi - ste.
changing.
D.r C
cupo
FOR
Guai se al - fin con te m'az -
You shall pay for all your

M
-pi - glio. Ne' giuo-chi il pe - ri - glio è un gra - no di
hide him, Lest some ir - re - triev - a - ble ill should be -
Q
D.r C
Guai!
Aye!
ppp
FOR
-zuf - fo!
bragging,
Se ti
If I
M
pe - pe.
-tide him!
Q
Fi - n'or non s'ac - cor - se di nul - la, e - gli
Till now his sus - pi - cions have led him a -
D.r C
Se t'ag-
If I
FOR
pi - glio!
catch you!

M
Q
può.......... Sor - pren - der - ci fo̊r - se, con - fon - der - ci
- stray.......... De - feat us he shall not, though vex us he
Dr. C
- guan - to
snatch you!
FOR
Se t'ac -
If I
M
Il ri - schio è un di - let - to che ac - cre - sce l'ar -
The risk of a jest is the live - li - est
Q
no.
may!
E - gli
As I
Dr. C
Se t'ac -
If I
FOR
- cef - fo!
seize you!

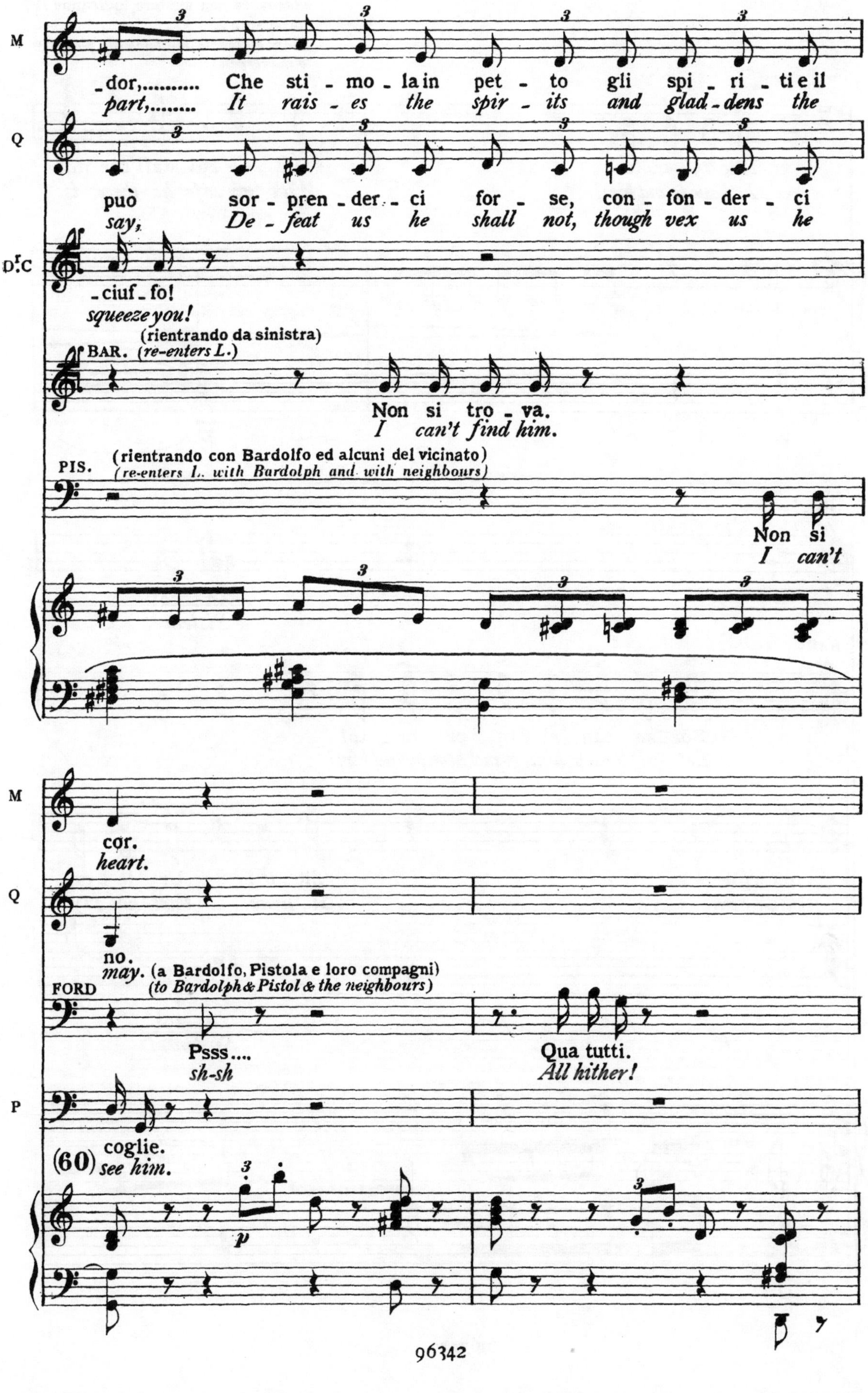
M
_dor,.......... Che sti _ mo _ la in pet _ to gli spi _ ri _ ti e il
part,........ It rais _ es the spir _ its and glad _ dens the
Q
può sor _ pren _ der _ ci for _ se, con _ fon _ der _ ci
say, De _ feat us he shall not, though vex us he
Dr C
_ciuf _ fo!
squeeze you!
(rientrando da sinistra)
BAR. (re-enters L.)
Non si tro _ va.
I can't find him.
(rientrando con Bardolfo ed alcuni del vicinato)
PIS. (re-enters L. with Bardolph and with neighbours)
Non si
I can't
M
cor.
heart.
Q
no.
may. (a Bardolfo, Pistola e loro compagni)
FORD (to Bardolph & Pistol & the neighbours)
Psss....
sh-sh
Qua tutti.
All hither!
P
coglie.
(60) see him.
p

(sottovoce con mistero, indicando il paravento).
(under his breath, mysteriously, pointing to the screen)
FOR
L'ho tro_va_to.
I have found him!
Là c'è Fal_staff con mia
With my wife he there is
D.C.
Zit_to!
Si_lence!
BAR.
Soz_zo can vi_tu_pe_ra_to!
Let us thrash him, grind him, pound him!
FOR
mo_glie.
hid_den.
Zit_to!
Si_lence!
Ur_le_rai
thou noi_sy
PIS.
Zit_to!
Si_lence!
f

(ricacciando giù Falstaff)
(pushing Falstaff down)
QUIC.
Sta sot - to, sta
Lie qui - et, lie
(sbucando colla faccia)
(thrusting out his face)
FAL.
Af - fo - - go!
I'm sti - - fling!
Dr C.
Zit - to! Zit - to!
Si - lence! Si - lence!
FOR
do - po.
ras - cal.
P
Zit - to!
Si - lence!
MEG
Or que - sti s'in -
Be care - ful, they're
Q
sot - to!
qui - et!
FAL
Af - fo - - - - - go!
I'm sti - - - - - fling!
Dr C.
Zit - to, zit - to!
Si - lence, si - lence!
BAR.
Zit - to, zit - to!
Si - lence, si - lence!
FOR
Là s'e u - di - to il suon d'un
Did ye hear their shame - ful

M
Q
FAL
B
FOR
- sor - ge.
pry - ing!
(abbassandosi e parlando a Falstaff sulla cesta)
(bending over the basket and speaking to Falstaff)
Se l'al - tro ti scor - ge sei mor - to.
If Ford should es - py, you he'll kill you.
(sotto la biancheria)
(under the linen)
Son
I'm
Noi dobbiam pi - glia - - - re il
Now we've snared the sli - - - my
ba - cio.
kiss - ing?
p
Sta sot - to, sta sot - to!
Keep un - der, keep un - der!
Sta sot - to, sta
Lie qui - et, lie
cot - to!
fry - ing!
to - - - po Men - - - tre sta ro - den - - - do
ser - - - pent; Snakes be - tray them-selves by

FEN.
(a Nannetta) (to Anne) Cantabile
Bel - la! ri -
Dear smi - ling
Q
sot - to.
qui - et!
B
ca - cio.
his - sing.
FORD
Ra - gioniam.
Let's consult.
(61)
pp
NAN.
(a Fenton) (to Fenton) leggero
Men - tre quei vec - chi cor - ron la
While the old peo - ple make all this
FEN.
- den - - - te! Oh! co - me
mai - - - den! Love in - ter - -
FOR
Col - po non
Be - fore the

N
gio - stra Noi di sot - tec - chi cor - riam.......... la
ri - ot We exchange kis - ses in peace and in
FEN
pie - - ghi ver - so i miei
-ce - - - ding, Thy heart has
MEG
QUIC.
FAL.
Dr.C.
BAR.
FOR
vi - bro sen - z'un pia - - - - no di bat -
tus - sle, I would ask your coun - sel
PIS.
Teni
Bassi
NEIGHBOURS
GENTE DEL VICINATO

N
no - stra. L'a - mor non o - - - de tuon nè bu -
qui - et. Lo - vers de - light not in noise and con -
FEN
prie - - - - ghi don - ne - sca - -
yield - - - - - ed to my fond
M
Q
FAL
Dr C
Un uom di quel ca - -
If he ex - ert his
B
Bra - vo!
Bra - vo!
FOR
-ta - - glia.
fur - ther.
P
Bra - vo!
Bra - vo!
Bra - vo!
Bra - vo!
Bra - vo!
Bra - vo!

N
-fe - re, Vo-la al-le sfe - - - - - - re be - - -
-fu - sion, Their sweetest bliss they find in
FEN
-men - te! Co - me ti vi - di m'inna-mo-
plead - ing! When first I saw thee, my love was
M
Q
FAL
D.r C
li - bro con un soffio ci sba - ra - glia!
mus-cle, There'll be broken bones and mur - ther!
B
FOR
La mia tat-ti-ca ma-e - - - -
I've a master-ly concep- - - -
P

dolciss.
N
-a- - - -te e go- - - - - - - - - -
calm se- - - - - - clu- - - - - - - - - - - -
FEN
-rai, E tu sor - - ri - di per - chè lo
thine, And now I know, sweet, that thine is
M
Q
FAL
D!C
B
FOR
-stra le sue mos-se pria re - gi- - - - - - - - - -
-tion, Hear and mark what I have planned........................
P

N
-de-
-sion.
FEN
sai.
mine!
M
Q
FAL
Dr C
B
(a Pistola e a due compagni)
(to Pistol & two servants)
più marcato
(a Bardolfo e al Dr Cajus)
(to Bardolph & Caius)
FOR
-stra. Voi sa-re-te l'a-la de-stra. Noi sa-rem l'a-la si-
.... Of the right wing take di-rec-tion, While the left wing I com-
P
(62)

N
FEN
Già un so - gno bel - lo d'I - me - ne al -
The torch of Hy - men is burn - ing
M
Q
FAL
Dr. C
B
(agli altri)
(to the others)
FOR
- ni - stra, E co - stor con piè ga - gliar - do sfon - de - ran - no il ba - lu -
- mand; And the oth - ers, from be - hind him, will lay hold of him, and
P

N
Lo spi - ri - tel - lo d'a - mor, vol -
His cher - ubs round me are hov' - ring
FEN
-beg-gia, un so - gno
brightly, The torch of
M
Q
FAL
Dr. C
A - spet-tiam un tuo se -
We ap - prove your pro - po -
B
Bra - vo, bra - vo, ge - ne - ra - le!
Bra - vo, bra - vo, great tac - ti - cian!
FOR
-ar - do.
bind him.
P
Bra - vo, bra - vo, ge - ne - ra - le!
Bra - vo, bra - vo, great tac - ti - cian!
Bra - vo, bra - vo, ge - ne - ra - le!
Bra - vo, bra - vo, great tac - ti - cian!
Bra - vo, bra - vo, ge - ne - ra - le!
Bra - vo, bra - vo, great tac - ti - cian!
mf

N
-teg - gia, lo spi - ri - tel - lo d'a - mor, vol -
light - ly, His cher - ubs round me are hov' - ring
FEN
bel - - - - lo d'I - me - - - ne al - - -
Hy - - - - men is burn - - - ing
M
Sta sot - to!
Keep un - der!
Q
Sta
Lie
(sbucando)
(putting his head out)
FAL
Che cal - do!
I'm stew - ing!
Mi squa - glio!
I'm melt - ing!
D.r C
-gna - le.
-si - tion.
B
Bra - vo, bra - vo!
Bra - vo, bra - vo!
FOR
P
Bra - vo, bra - vo!
Bra - vo, bra - vo!
Bra - vo, bra - vo!
Bra - vo, bra - vo!
Bra - vo, bra - vo!
Bra - vo, bra - vo!

N
-teg-gia.
light-ly.
FEN
-beg-gia.
bright-ly.
M
Il ri-bal-do vor-reb-be un ven-
Strange that no-bo-dy of-fers to
Q
sot-to!
qui-et!
FAL
Dr C
Bra-vo, bra-vo!
Bra-vo, bra-vo!
B
Bra-vo, bra-vo!
Bra-vo, bra-vo!
FOR
P
Bra-vo, bra-vo!
Bra-vo, bra-vo!
Bra-vo, bra-vo!
Bra-vo, bra-vo!
Bra-vo, bra-vo!
Bra-vo, bra-vo!

N
FEN
M
-taglio.
fan him.
Q
Ti metto il ba - vaglio se par -
Unless you keep quiet you're doomed
(supplicante col naso fuori)
(imploringly)
FAL
Un bre-ve spi - raglio non chiedo di più.
A lack, I shall die if I may not take breath!
D.r C
B
FOR
P
mf

p espressivo
N
Tut - to de -
In thought and
FEN
Fra quel - - - - le
'Neath those dark
(ricacciando Falstaff sotto la biancheria)
(covering Falstaff up with the dirty linen)
M
Giù! giù! giù!
Death! death! death!
Q
-li. Giù! giù! giù!
to death! death! death!
FAL
(a Ford, accostando l'orecchio al paravento)
(to Ford approaching the screen)
D.r C
p
Sento,
Yes, I
B
(al D.r Cajus accostando l'orecchio al paravento)
(to Caius approaching the screen)
FOR
p
Sen-ti, accosta un po' l'o-recchio!
Hear their billing and their cooing?
P
p
Ma fra po-co il lie-to
He will pipe in oth-er
pppp
S'e - - - - gli
If he
S'e - - - - gli
If he
(63)
mf
p
mf
p cantabile con espress.
pp stacc.

N
-li - - - - - - - ra,
ac - - - - - - - tion
FEN
ci - - - - - - - - glia
lash - - - - - - - - es
M
Par - liam sot - to - vo - ce guar - dan - do il Mes -
Let's speak in a whis - per, and riv - et our
Q
Co - stui s'è in - far - da - to di tan - ta vil -
So foul his trans - gres - sions, in word and in
FAL
D.r C
sen - to,
hear them.
B
È la vo - ce
And her whis - per
FOR
P
giuo - co
fash - ion,
ca - - - de più non
fall, he can't es - - -
ca - - - de più non
fall, he can't es - - -

N
so - - spi - - - - - - - ro e
Ask - - - ing, de - - - - -
FEN
veg - - - go due
Love's lamps are
M
- ser.
eyes
Q
- tà
deed,
FAL
D^r C
sen - to, in -
Yes, I
B
FOR
Che pa - te - ti - ci la - men - ti!!
'Tis my wife the wretch is woo - ing!
P
tu - be - rà du - ra le -
When we have him by the
scap - - - pa nes - sun
- cape us, nought on
scap - - - pa nes - sun
- cape us, nought on

N
ri - - - - - - - so
-ny - - - - - - - ing,
FEN
fa - - - - - - - ri
beam - - - - - - - ing,
M
Che bron - to - la e - cuo ce nel no - stro pa -
On Fal - staff the Fat, in our bas - ket who
Q
Che dar - lo al bu - ca - to è a - ver - ne - pie -
That sound - ly to souse him is kind - ness in -
FAL
Dr. C
-ten - do e ve - do
hear them. For all your
B
del - la don - na
You can hear,
FOR
P
-zion.
throat,
più lo può sal - - - -
earth can save him
più lo può sal - - - -
earth can save him

N
sor - ri - de il vi - - - - - - - -
smi - ling and sigh - - - - - - - -
FEN
a me - ra - vi - - - - - - - -
Like hid - den jew - - - - - - - -
M
-nier, che.............. bron - - - - to - - la e
fries, On.............. Fal - - - staff the
Q
-tà che dar - - - - lo al bu -
-deed, That sound - - - ly to
FAL
D.r C
chia-ro del-le
mea-sure, I would
B
FOR
Su quel ni-do d'u-si-gnuo-li.
But a storm is brew-ing near them,
P
E-gli can-ta ma fra
And if sing-ing be his
-var. Nel tuo dia - vo - lo t'in - -
then, And we'll teach him not to
-var. Nel tuo dia - vo - lo t'in - -
then, And we'll teach him not to

N
-so e il cor so - spi - - - - - - - -
-ing, Love is dis - trac - - - - - - - -
FEN
-glia se - re - ni e chia - - - - - - - -
-els In dark - ness gleam - - - - - - -
M
cuo - - - - ce nel no - - - stro pa -
Fat, in our bas - - - ket who
Q
-ca - - - - - to è a - - - - ver - - - ne pie -
souse him is kind - - - ness in -
FAL
Dr C
fem - mi - ne del - le fem - mi - ne gl'in -
sure - ly not, I would not stand in your
B
che ri - spon - de al ca - va -
To her port - ly cav - a -
FOR
scop - pie - rà fra po - co il tuon.
Fraught with ter - ri - ble sur - prise.
P
po - co mu - te - rà la sua can -
pas - sion, We will make him change him
-cap - pa che tu pos - sa stra - maz - -
med - dle with the wives of ho - nest
-cap - pa che tu pos - sa stra - maz - -
med - dle with the wives of ho - nest

dolciss.
N
_ra. Dol _ ci richia_mi d'a _ mor.
_tion, Sweet..... is that pas _ sion_flow'r.
FEN
_ri.
_ing. (rientra e si avvicina alla cesta)
(enters, approaching the basket)
Dim _ _ mi se m'a _ _
Say...................... dost........ thou
ALI.
Silen_zio!
Keep quiet!
M
_nier.
fries.
Q
_tà.
_deed.
(sbucando e sbuffando)
(puffing & blowing)
FAL
Ouff! Cesto mole_sto!
Ugh! basket accursed!
D.r C
_ganni.
shoes.
B
_lier.
_lier.
(agli altri)
(to the others)
pp
FOR
Zitto! A noi! Quest'è il mo_
Silence! Look out! Now is our
P
_zon.
note.
_zar!
men!
_zar!
men!
dolciss.

N
Si.................. t'a_mo t'a_mo! t'a - - - - -
Yes,.................. yes.... I love thee, I love..................
FEN
_mi?
love me?
t'a - - - - -
I love..................
A
M
Che bestia re_stì_a.
The creature is restive!
Q
Che bestia re_stì_a.
The creature is restive!
(sbucando)
(putting his head out)
FAL
Protesto!
I'm choking!
Dr C
B
FOR
_mento. Zitto! At_ten_ti! at_tenti a
time. Silence! At_tention! Your eyes on
P

N
_mo! t'a_
thee, I love
FEN
_mo! t'a_
thee, I love
A
M
È mat_to fu_ri_bon_do!
He's cra_zy with vex_a_tion!
Q
È mat_to fu_ri_bon_do!
He's cra_zy with vex_a_tion!
(gridando)
(shouting)
FAL
Por_ta_te_mi vi_a!
Con_vey me a_way!
A_iu_to!
Res_cue me!
Dr. C
f
Dà il se_gnal.
Give the word!
B
FOR
me.
me.
P
(64)

ALL°. COME PRIMA ♩-138
N
mo!
thee!
FEN
mo!
thee!
A
M
Q
(si nasconde)
(hides himself)
FAL
a_iu_to!
Save me!
a_iu_to!
Save me!
D.r C
B
(rovesciano il paravento)
(throwing down the screen)
OR
Uno...
One...
Due...
Two...
Tre.
Three.
P
ALL°. COME PRIMA ♩-138
ff
(65)

(nel rovesciarsi del paravento rimangono scoperti e confusi)
(Anne & Fenton are discovered much embarrassed)
N
Ah!
Ah!
FEN
Ah!
Ah!
A
È il fi - ni - mon - - - - do!
And con - ster - na - - - - tion!
M
È il fi - ni - mon - - - - do!
And con - ster - na - - - - tion!
Q
È il fi - ni - mon - - - - do!
And con - ster - na - - - - tion!
FAL
Dr. C
Non è lui!!
'Tis not he!
Ah!
Ah!
B
Sba - lor - di - men - - - - to!
Strange sit - u - a - - - - tion!
(ravvisando sua figlia con Fenton)
(perceiving Anne & Fenton)
FOR
Sba - lor - di - men - - - - to!
Strange sit - u - a - - - - tion!
P
Sba - lor - di - men - - - - to!
Strange sit - u - a - - - - tion!
Sba - lor - di - men - - - - to!
Strange sit - u - a - - - - tion!
Sba lor di men - - - - to!
Strange sit - u - a - - - - tion!

(a Nannetta con furia)
(to Anne furiously)
FOR
An - cor nuo - ve ri - vol - te!
Vile dis - o - be - dient daugh - ter!
(a Fenton)
(to Fenton)
Tu va pe' fat - ti tuoi!
Shall I be thus de - fied?
L'ho det - to mil - le vol - te: Co - stei non fa per voi.
De - ceit in vain you've taught her, She ne'er shall be your bride!
mf
BAR.
(correndo verso il fondo)
(runs up stage)
È là! Fer - ma!
He's there! seize him!
(Nannetta sbigottita fugge - Fenton esce dal fondo)
(Anne runs off affrighted. Fenton exit C.)
Do - ve?
Where?
ff

(tutti gli uomini salgono a corsa la scala del fondo)
(all the men rush up the staircase C.)
QUIC.
Che cac_cia in_fer_
What tur_moil and
Dr. C.
A cac_cia!
Hark forward!
BAR.
A cac_cia!
Hark forward!
FOR
Squarta_te_lo!
Lay hold of him!
PIS.
Là! sul_le sca_le.
There, on the stair_case.
A cac_cia!
Hark forward!
NEIGHBOURS
GENTE DEL VICINATO
A cac_cia!
Hark forward!
A cac_cia!
Hark forward!
LO STESSO MOVIMENTO ♩= 138
Q
_na_le!
ri_ot!
LO STESSO MOVIMENTO ♩= 138
ff
(66)

ALI.
(scampanellando)
(ringing the bell)
Ned! Will! Tom! I_sä_
Ned! Will! Tom! I_
pp
(Nannetta rientra con quattro servi e un paggetto)
(Re-enter Anne with four serving men and a page)
A
_ac! Su! Pre_sto! Pre_sto!
_saac! Here! Hast_en! Hast_en!
A
(67)
Ro_ve_
Quickly
f
p
A
_scia_te quel ce_sto Dal_la fi_ne_stra nel_
emp_ty this bas_ket out of the win_dow, and
f
p
f
p

A
.l'ac - qua del fos - so... Là! presso al - le giun - ca - ie Da - van - ti al
in - to the riv - er... There, just by the bul - ru - shes, and near that
A
croc - chio del - le la - van - da - ie.
bu - sy group of wash - er - wo - men.
NAN.
Sì, sì, sì, sì!
Yes, yes, just there!
MEG
Sì, sì, sì, sì!
Yes, yes, just there!
QUIC.
Sì, sì, sì, sì!
Yes, yes, just there!
f
(ai servi che s'affaticano a sollevare la cesta)
(to the servingmen, who are striving to lift the basket)
N
C'è den - tro un pez - zo
The load is some - what
(68)

ALI.
(al paggetto, che poi esce dalla scala del fondo)
(To the page, who exits by staircase at back of stage)
Tu chia - ma mio ma - ri - to;
Call thou my hus - band hi - ther;
N
gros - so.
hea - vy.
pp leggerissimo
(a Meg, mentre Nannetta e Quickly stanno a guardare i servi che avranno sollevato la cesta)
(to Mrs Page, Anne & Dame Quickly stand looking at serving-men, who have hoisted up the buck-basket)
A
Gli nar - re - re - mo il no - stro ca - - - so
We will ex - plain to him how we've been
A
paz - zo. So - lo al ve -
jok - ing. And when he
p
A
- der il Ca - va - lier nel guaz - zo D'o - gni ge -
sees poor Falstaff sad - ly soak - ing He'll ne'er in -
f

A
-lo-sa ub-bì - - a sa-rà gua-ri - - - - to.
-dulge a-gain in jea-lous croak - - - -ing.
p
QUIC.
(ai servi)
(to the servants)
(69)
Pe - sa!
Now then!
ff
ALI.
(ai servi che sono già vicini alla finestra)
(to the servants, who are close to the window)
Co - rag-gio!
To - geth-er!
NAN.
Il fon-do ha fat-to crac!
I heard the bas-ket crack!
MEG
Co - rag-gio!
To - geth-er!

(la cesta è portata in alto)
(the basket is hoisted up)
A
Tri - on - fo! Che
Be rea - dy! He's
N
Su! Tri - on - fo! Ah! Ah!
Up with it! Be rea - dy! Ah! Ah!
M
Su! Tri - on - fo! Ah! Ah!
Up with it! Be rea - dy! Ah! Ah!
Q
Su! Tri - on - fo! Ah! Ah!
Up with it! Be rea - dy! Ah! Ah!
f
p
p
A
tonfo!
o-ver!
(la cesta, Falstaff e la biancheria capitombolano giù dalla finestra)
(Falstaff, basket, & linen are tumbled out of window)
N
Che ton-fo!
He's o-ver!
M
Che ton-fo!
He's o-ver!
Q
dim.
pp
pp
morendo

(gran grido e risata di donne all'esterno; immensa risata di Alice, Nannetta, Meg e Quickly- Ford e gli altri uomini rientrano: Alice vedendo Ford lo piglia per un braccio e lo conduce rapidamente alla finestra)
(Screams & laughter of women outside & inside. Ford & the other men rush in. Mrs Ford takes Ford by the arm, and leads him hurriedly to the window)
A.N.M. e Q.
Pa-ta - - trac!..........
«Pa-ta - - trac!..........»
FOR. e PIS.
Pa-ta - - trac!..........
«Pa-ta - - trac!..........»
GENTE DEL VICINATO
NEIGHBOURS
TEN e BARD
Pa-ta - - trac!..........
«Pa-ta - - trac!..........»
B
Pa-ta - - trac!..........
«Pa-ta - - trac!..........»
(70)
fff tutta forza
ff sempre
(cala rapidamente il sipario)
(Curtain falls rapidly)
Fine dell' Atto II°
End of Act II.

ATTO TERZO-PARTE PRIMA

Act Third-Part First

UN PIAZZALE.

A STREET.

A destra l'esterno dell'*Osteria della Giarrettiera* coll'insegna e il motto: ***Honni soit qui mal y pense.*** **Una panca di fianco al portone. – È l'ora del tramonto.**

On the R., exterior of the Garter Inn, showing the sign and motto, "Honni soit qui mal y pense" A bench beside the doorway. Time, sunset.

poco cres.
(2)
cres.
cres. sempre
(3)
ff e sempre staccato

(si alza il sipario)
(curtain rises)
(4)
ff
(Falstaff è seduto, meditabondo, sulla panca)
(Falstaff sits on the bench, meditating)
ppp
p dim.
pp

pp
pp
(si scuote ad un tratto - dà un gran pugno sulla panca e chiama l'Oste)
(shakes himself: strikes the bench with his fist, and summons the host)
FALSTAFF
PIÙ MOSSO ♩ = 126
PIÙ MOSSO ♩ = 126
(5)
a tempo
ff
VUOTA
ppp
FAL.
AND.te SOSTENUTO ♩ = 63
Lo stesso movimento
Ehi! Ta - ver - nie - re!
Ho! Host with - in there!
(6)
AND.te SOSTENUTO ♩ = 63
Lo stesso movimento
pp
pp

(pensieroso e di pessimo umore)
(gloomily thoughtful)
FAL
Mon-do la-dro. Mon-do ru-
Wick-ed world. Treacherous
p
p
(entra l'Oste)
(enter host)
parlando
FAL
-bal-do. Reo mondo! Ta-ver-nie-re: un bicchier di vin cal-do.
world. Vile world! Wor-thy host, a beaker of burnt sher-ry!
morendo
ppp
ppp
ppp
(l'Oste riceve l'ordine e rientra)
(exit host)
f
FAL
Io, dun-que, a-vrò vis-su-to tan-
For this, then, so ma-ny years have I
pp
f
pp

FAL
-t'an - ni, au-da-ce e de - - stro Ca-va-
flour - ish'd, gal-lant and gay,.................... the pearl of
f
pp
stizzoso
incalz. un poco
FAL
-lie - re, per es - se - re por - ta - to in un ca -
Knight - hood; that I should thus be packed in - to a
f
p incalz. un poco
FAL
- ne-stro E git - ta - to al ca - na - le coi pan - ni - li - ni
ba-sket, and then ducked in the riv - er with foul and ree-king
FAL
bie - chi, Co - me si fa coi gat - ti e i ca - tel - li - ni
li - nen, just like a mon-grel dog or lit - ter of blind
p

ALLEGRO 𝅗𝅥 = 63
Lo stesso movimento - tempo doppio
FAL
cie - chi. Che se non ga - leg - gia - - va per
kit - tens. And had not this fair round - - ness like
ALLEGRO 𝅗𝅥 = 63
Lo stesso movimento - tempo doppio
f
mf
FAL
me que - st'e - pa tron - fia Cer - to af - fo -
cork or blad - der float - ed, Sure I had
f
FAL
- ga - vo. - Brut - ta mor - te. - L'ac - qua mi
perished. - An ug - ly end - ing! Wat - er dis -
pp
f
p
tronca
FAL
gon - - - - - - - - - - - fia.
- tends - - - - - - - - - - - me.
pp legato e cresc.

COME PRIMA ♩: 63
FAL
Mon-do reo.-
Vil-est world!
COME PRIMA ♩: 63
(7)
p
pp
Non c'è più vir-tù.-
The good old days are past.-
Tut-to de-cli-na.
All is de-cay-ing.
ppp
morendo
COME PRIMA (Atto II.°) ♩: 100
Va, vec-chio John, va,
Go, go thy way, go,
p
va per la tua vi-a; cam-mi-na fin-chè tu
go thy way, Jack Fal-staff, as long as thy life en-

FAL
muo - - - ia. Al lor .... scom_pa_ri_
_du - - - reth; With thee .... shall dis_ap_
FAL
_rà la ve_ra vi_ri - li - tà dal
_pear for ev - er the type of hon - - est
ALL.º COME PRIMA
FAL
mon_do.-
manhood!
ALL.º COME PRIMA
(8)
p
p
FAL
Che gior_na_tac_cia ne_ra. M'a_iu_ti il
That I should thus be treated! Heav'n give me
p

FAL
ciel!..-
grace!..
Im-pin-guo troppo.
I wax too portly;
ancora più piano
morendo
(ritorna l'Oste portando un gran bicchiere di vino caldo; mette il vassojo sulla tavola, poi rientra nell'osteria)
(re-enter host with a large tankard of mulled wine, which he sets on the table, and exit)
sottovoce
Ho dei pe-li gri-gi....
Grey my beard is tur-ning...
COME PRIMA ♩ : 126
ff
cantarellando
Ver-
I'll
-sia-mo un po' di vi-no nel-l'ac-qua del Ta-mi-
mix a pint of sack with a gal-lon of Thames wa-

ALLEGRO ♩: 100
FAL
- gi.
- ter.
(9)
ALLEGRO ♩: 100
mf
(beve sorseggiando ed assaporando)
(sips, then drinks deeply)
LO STESSO MOVIMENTO ♩: 100
ppp
FAL.
(si sbottona il panciotto)
(loosens his doublet)
Buo - no.- Ber del vin
Sweet 'tis To drink good
ppp
pp
(si anima a poco a poco e riacquista la sua giovialità)
(gradually recovering his spirits)
FAL
dol - ce e sbot - to - nar - - - si al so - - le,
wine while basking in the sun - shine,
dolciss.

♩: 100
SEMPRE LO STESSO MOV.to
FAL
Dol - - ce co - sa! Il buon
Free from con_stric _ tion. For good
morendo
p
vi _ no sperde le te_tre fo _ le del_lo scon_for_to, ac_cen_de
wine dispels all the darksome vapours of me_lan_cho_ly, brightens the
l'oc _ chio e il pen_sier, dal lab _ bro sa _ le al cer_
eye, quick _ ens thought; from the lip ascends to the
pp
parlando
_vel e qui vi ri _ sveglia il picciol fab _ bro dei tril_li; un negro
brain, and there wakens up the ti_ny wea_ver of fancies, a sa_ble
(10)
ppp cres. sempre poco a poco

FAL
a tempo
cantando
gril - lo che vi_bra en_tro l'uom bril_lo. Tril_la o_gni fi_bra in
sprite lurking in the sculls of topers. And trolling joy_ous
a tempo
tr
FAL
cor, l'al_le_gro e_te_re al tril_lo guiz_za e il gio_con_do
lays that ring through the sky, up to the spheres,... till the gladdened
FAL
glò - bo squi_li - bra u_na de_men_za tril - lan - te! E il
earth soft - ly e - choes the gay strain of the min - strel, and
FAL
tril - lo in_va - de il mon - do!!!
Song pervades the world!!!.................
f
ff

(avvicinandosi e interrompendo Falstaff nel suo volo bacchico)
QUICKLY
(Enter Dame Quickly, interrupting Falstaff)
ALL.º AGITATO 𝅗𝅥 = 80
Re-ve-ren - za. La bel-la A - li - ce...
Sir, fair greet - ing. Good Mistress A - lice...
(alzandosi e scattando)
(rising in anger)
FAL
Al dia-vo-lo
The fiend fly a-
(11)
ALL.º AGITATO 𝅗𝅥 = 80
pp
p
te con A - li - ce bel-la! Ne ho pie-ne le bi-
-way with your Mis - tress A-lice! E-nough I've had of
f
p
QUIC.
Voi sie-te er-ra-to...
You are mis-ta-ken
-sac-cie! Ne ho pie-ne le bu - del-la! Un
A-lice! Too much I've had of A-lice! A
f
p

FAL
can - che - ro!!
cock - a - trice!
Sen - to an - cor le cor -
Still my shoul - ders and
f
p
FAL
- na - te di quel - l'ir - co ge - lo - so! Ho an -
ribs are black and blue with sore brui - ses! My
FAL
- cor l'os - sa ar - rem - ba - te d'es - ser ri - ma - sto
ve - ry bones are ach - ing from having been close - ly
3
p
senza misura
Presto
FAL
cur - vo, co - me u - na buona la - ma di Bil - bà - o, nel - lo spa - zio d'un pa - nie - rin di
compassed, like a good bil - bo, in the circum - ference of a peck, hilt to point, heel to
senza misura
col canto

a tempo
FAL
da_ma! Con quel tu_fo!- E quel cal_do!- Un
head! What a ferment! What a smelting! A
(12)
f
a tempo
FAL
uom del_la mia tem_pra, che in u_no stil_li_ci_dio con_
man of my com_plex_ion, As but_ter prone to melt_ing, A
p
p
FAL
f
_ti_nuo si di_stem_pra! Poi,............ quan_do fui ben
chronic li_que_fac_tion! When............ I was hot_ly
f
FAL
cot_to, ro_ven_te, in_can_de_scen_te, m'han tuf_fa_to nel_
stewing, and seething, and fiercely glowing, In the riv_er they
f

(Alice, Meg, Nannetta, Mr. Ford, Dr. Cajus, Fenton sbucano dietro una casa a sinistra, or l'uno or l'altro spiando, poi si nascondono ancora, poi tornano a spiare)
(Mrs Ford, Mrs Page, Anne, Ford, Dr Caius and Fenton emerge from behind a house L., alternately peeping out, one and another, and concealing themselves)
QUICKLY
Essa è inno - cen - te, essa è inno -
But she is blameless, yes, she is
FAL
- l'ac - qua. Ca - naglie!!!
plunged me. Base rascals!
(infervorata)
(fervently)
Q
- cen - te. Pren - de - te ab - ba - glio... La col - pa è di quei
blame - less, Of that be cer - tain... The fault lay with those
FAL
Vat - te - ne!!
A - way with thee!
Q
fan - ti ma - lau - gu - ra - ti! A - li - ce piange, ur - la,
dullards, those stupid var - lets! And she lament - eth, weepeth,

Q
in - vo - ca i san - ti. Po - ve - ra
her lot be - wail - eth Un - hap - py
pp
Q
don-na !! V'a - - - ma. Leg-
la-dy! She loves - - - you. Read
(estrae di tasca una lettera: Falstaff la prende e la legge)
(draws a letter from her pocket: Falstaff takes it and proceeds to read)
Q
-ge - te.
this, pray.
ppp
ff

(nel fondo, a bassa voce agli altri, spiando)
ALICE (under her breath, peeping out C.)
pp
(Legge.
He's reading.
NANNETTA
Vedrai che ci ri_
Again we shall en_
(sottovoce)
FORD (under his breath)
Legge.
He's reading.
p
A
L'uomo non si cor_reg_ge.
In_cu_ra_ble is man's fol_ly.
N
_ca_sca.
_snare him.
(ad Alice, vedendo un gesto nascosto di M.rs Quickly)
(to M.rs Ford seeing a hidden gesture of Dame Quickly)
MEG
Na_scon_di_ti.
Con_ceal thy_self.

Dr. CAJUS
senza misura
Ri_leg_ge.
He's reading.
FORD
Ri_legge. – L'esca inghiotte.)
Yes, truly, the bait he swallows.
(rileggendo ad alta voce con molta attenzione)
(reading aloud)
FAL.
T'aspet_te_rò nel par_co Re_al,
Tonight in Windsor Park, at midnight,
col canto
FAL
a mez_za_not_te. Tu ver_rai tra_ve_sti_to da CACCIA_TO_RE NE_RO
I shall await thee. In disguise, clad from head to foot as the Sa_ble Huntsman,
QUIC.
A_mor, a_ma il mi_ste_ _
True love my_ste_ry lov_ _
FAL
al_la quer_cia di Her_ne.
by Herne's Oak thou wilt tar_ry.

ANDANTE ♩= 80
Q
-ro. Per ri-ve-der-vi, A-li-ce, si val d'u-na leg-gen-da po-po-
-eth. To meet you, fair Alice her-self must a-vail Of a dismal old le-gen-da-ry
ANDANTE ♩= 80
(13)
pp
-lar. Quel-la quer-cia è un luo-go da tre-
tale. Near that oak is a try-sting place of
legg. e stacc.
p
lunga pausa
cupo
-gen-da. Il CACCIA-TO-RE NE-RO s'è im-
witch and elf; Herne, the Black Hun-ter, hanged him-self At
lunga pausa
-pe-so ad un suo ra-mo. V'ha chi
mid-night to its top-most bough. There are
ppp

Q
cre - de ve - der - lo ri - com - pa -
some who be - lieve that he haunts it
ff
pp
Q
- rir....
now!
(prende per un braccio M.rs Quickly, e s'avvia per entrare con essa nell'osteria)
(takes Dame Q. by the arm in order to lead her into the inn)
FAL.
parlante
Entria_mo. Là si di_scor_re meglio.
Prithee, in; there we can talk at leisure.
leggerissime e staccato
(con mistero, ricominciando a narrare, entrà nell'osteria con Falstaff)
(enters the inn with Falstaff continuing her story mysteriously)
SEMPRE LO STESSO TEMPO ♩ = 80
Q
Quando il rin_toc_co del_la mez_za_
Just as the chimes the hour of twelve are
FAL
Nar_ra_mi la tua fra_sca.
Come, I await thy pleasure!
SEMPRE LO STESSO TEMPO ♩ = 80
morendo
(14)

(con tutto il crocchio avanzandosi comicamente contraffacendo Quickly)
(mimicking Dame Q., advances with the others)
ALI.
con voce grossa
Quan - do il rin - toc - co del - la mez - za -
Just as the chimes the hour of twelve are
Q
la voce si perde da lontano
not - te Cu - po si spar - ge nel si - lente or - ror, Sor - gon gli
sound - ing, When ev'ry sad un - hallowed spi - rit walks And ghost - ly
FORD
Ci ca - sca.
We've got him!
ppp
A
- not - te Cu - po si spar - ge nel si - len - te or - ror, Sor - gon gli
sound - ing, When ev'ry sad, un - hallowed spi - rit walks, And ghost - ly
Q
morendo
spir - ti va - ga - bon - di a frot - te.
forms appear, the oak sur - rounding.
p
A
cupo
spir - ti va - ga - bon - di a frot - te E vien nel par - co il ne - ro Cac - cia -
forms appear, the oak sur - round - ing, Through Windsor For - est the Sable Huntsman

A
_tor.
stalks.
E_gli cam_mi _ na
He glides a _ long, all
ppp
A
len _ to, len _ to, len _ to, Nel gran le _ tar _ go del _ la se _ pol _
slow _ ly, slow _ ly, slow _ ly, With eyelids closed like one who's soundly
A
_ tu _ ra. S'a_van _ za li _ vi _ do...
sleep _ ing. His face is dead _ ly pale...
NAN.
Oh! che spa _
Spec _ tre un _
cres.
pp

N
- ven - to!
- ho - ly!
MEG
Sen - to già il bri - vi - do del - la pa -
Tell me no more! With fright my flesh is
f
ppp
morendo
ALLEGRETTO ♩ = 138
ALI.
sempre a tempo
con voce naturale
con brio
Fan - do - nie che ai bam - bo - li Rac -
An id - le tale, to fro - ward brats told
M
- u - ra!
creep - ing!
ALLEGRETTO ♩ = 138
p
con eleganza
A
- con - tan le non - ne Con lun - ghi pre -
times with - out num - ber, By twi - light, with

A
-am-bo-li, Per far-li dor-mir.................. Ven-det-ta di
NAN.
ba-ted breath to soothe them to slum ber. A wrong'd woman's
Ven-det-ta di
A wrong'd woman's
MEG
Ven-det-ta di
A wrong'd woman's
ANDANTE (come prima) ♩ : 80
A
don - - ne Non de - ve fal - lir.
ven - - geance it fit - ly may serve.
N
don - - ne Non de - ve fal - lir.
ven - - geance it fit - ly may serve.
M
don - - ne Non de - ve fal - lir.
ven - - geance it fit - ly may serve.
ANDANTE (come prima) ♩ : 80
(15)
(ripigliando il colore del racconto come prima)
(resuming a tone of mystery)
A
S'a-van - za li-vi-do e il pas - so con-
His face is dead - ly pale, and just as he's

A
-ver ge Al tron-co o-ve e-sa-lò l'a-ni-ma
near - ing The spot on which his life grim - ly he
A
pra - va. Sbu - can le Fa - te.- Sul-la fron-te e-
end - ed, Fai - ry wands wave, and, on his brows ap -
A
dim.
morendo
-gl'er - ge Due cor - na lun-ghe, lun-ghe, lun - ghe...
-pear - ing, Sprout forth two migh-ty, bran-ching ant - lers...
dim.
pp morendo
ALLEGRO ♩ = 138
FORD
Bra-va! Quel - le cor - na sa - ran-no la mia
Splendid! Those broad ant - lers shall yield me joy and
ALLEGRO ♩ = 138
f
p

(a Ford)
(to Ford)
con calma
A
Ba - da! tu pur ti me-ri-ti
Thou de - ser - vest ad - monishment
FOR
gio - ia!
glad - ness.
tr
f
dolce
p
A
Qual-che ca-sti-ga - to - ia!
For all thy jea-lous mad-ness!
FOR
Per - do - na... Ri-co-
For-give me... I've en-
A
Ma guai se an-cor ti co - glie
If e'er I should de-tect you
FOR
-no - sco i miei de - me - ri - ti...
-dured suf-fi-cient punishment...

LO STESSO MOVIMENTO ♩= 138
A
Quel - la ma-nia fe - ro - ce Di cer-car den-tro il
Wor - ry-ing to dis - cov-er In a nut-shell an im -
pp leggero
LO STESSO MOVIMENTO ♩= 138
leggero
pp
m.s.
(16)
gu-scio d'u-na no - ce L'a-man - - - te di tua
-ag-in-a-ry lov - er, Why then, Hea-ven pro -
p
Recit.
mo - glie.- Ma il tem-po strin-ge e vuol fan-ta-sia
-tect you! But time is fly-ing; our wits must now be
Recit.
le - sta. Nan -
MEG bu - sy. My
Af-fret-tiam.
FENTON Let's con-sult.
Con-cer-tiam la ma-sche-ra-ta.
And ar-range our ma-sque-ra-ding.

A TEMPO SEMPRE ♩ = 138
A
-net - ta.
Nan - nie.
NAN.
Ec - co - la qua
What is your will?
A TEMPO SEMPRE ♩ = 138
(17)
p
(a Nannetta)
(to Anne)
Sa - rai la Fa - ta Re - gi - na del - le
Thou shalt be drest as the Queen of all the
Fa - te, in bian - ca ve - sta.......... Chiusa in can - di - do
Fai - ries, en - rob'd in gauze white......... as the snow, and thy
vel, cin - ta di ro - se.
waist gird - led with ros - es.
NAN.
E can - te -
And then I'll

N
-rò pa - ro - le ar-mo-nï - o - - - - se.
sing and dance sweetly and feat - - - ly.
(18)
ALI.
(a Meg)
(to Mrs P.)
Tu la ver - de sa-
Clad in green, thou shalt
A
-rai Nin-fa sil - va - na,
be nymph of the wood - lands;
A
pausa
E la co-ma-re Quic - kly u-na be-
Disguised as an en-chant - ress shall be Dame
(19)

(comincia a scendere la sera e resterà una penombra di crepuscolo)
(daylight fades into twilight)
ANCORA ♩ : 138 leggero
A
-fa - na.
Quick - ly.
A - vrò con me dei
Ill dress and drill a
NAN.
(allegramente)
(gaily)
A me - ra - vi - glia!
Nought could be bet - ter!
ANCORA ♩ : 138 leggero
pp
put - ti Che fin - ge - ran fol - let - ti E spi - ri - tel - li E dia - vo -
score of ti - ny lads and lit - tle las - ses, who shall play the parts of
- let - ti E pi - pi - strel - li E far - fa - rel - li. Su Fal - staff ca - muf -
elves and imps and sprites and Jack - o' - lan - terns. The Knight they shall sur -
- fa - to in man - to e cor - ni Ci sca - glie - re - mo
- round, and sound - ly swinge him, Make mock of him, and
tr

A
tut - ti. E lo tem-pe-ste - re - mo Finch'abbia confes -
NAN. singe him. In torment he shall lan-guish Until, subdued by
Tut - ti! tut - ti!
Singe him! Singe him!
MEG
Tut - ti! tut - ti!
Singe him! Singe him!
FEN.
Tut - ti! tut - ti!
Singe him! Singe him!
f
pp
pp
A
portando la voce
con grazia
- sa - ta la sua per - ver - si - tà.................. Poi ci smasche - re -
an - guish, For mer - cy he shall pray,................. Then we will un - de -
pp
pp
A
- re - - mo E pria che il ciel rag -
- ceive - - him, With quips and jibes ag -
3
3

A
_gior_ni, La giu_li_ _va bri_ ga_ ta.
grieve him, Re veal our selves and leave him,
f
p
A
Se ne ri_tor_ ne_ rà.
MEG
Before the dawn of day.
Vien se_ra. Rin_ca_
'Tis night_fall. Let's go
p
A
L'appun_ta_ men_to è al_la quer_cia di Her_ ne.
Hard by the oak we shall meet, then, at mid_night.
M
_siam.
home.
FEN.
È in_
Aye,

NAN.
(allegramente)
(joyously)
A me_ra_vi_glia! Oh! che al_le_gro spaven_to!
Nought could be bet_ter! What a char_ming adven_ture!
FEN
_te_so.
sure_ly.
(scambievolmente)
(reciprocally)
(Alice, Nannetta e Fenton s'avviano per uscire da sinistra – Meg da destra)
(Exeunt Mrs Ford, Anne and Fenton L; Mrs Page R)
ALI.
Ad_di_o.
Fare_well......
N
Ad_di_o.
Fare_well.....
(ad Alice e Nannetta)
(to Mrs Ford and Anne)
MEG
Ad_di_o.
Fare_well.....
FEN
Ad_di_o.
Fare_well.....
pp
pp
cresc

pp
(in questo momento Quickly esce dall'osteria - vedendo Ford e Cajus parlare segretamente, si ferma ad origliare)
(Enter Dame Quickly from inn; seeing Ford and Caius in secret converse, she stops to listen)
ALI.
(a Meg gridando)
(calling to M.rs Page)
Provve_di le lan _ ter _ ne.
Wilt thou provide the lan_terns?
(20) pp
FORD
(a Cajus - sottovoce)
(aside to Caius)
Non du_bi_tar, tu spo_se_rai mia fi_glia.
Be of good heart, for thou shalt wed my daughter.
FOR
Ram _ men _ ti be _ ne il suo tra _ ve _ sti _
Dost thou re _ mem _ ber what dress she will be

Dr C.
Cin - - ta di ro - se, il vel
Gird - - led with ro - ses, and ar -
FOR
men to?
wear - ing?
sempre p
(di dentro a sinistra gridando)
(calling from within L.)
ALI.
3
Non ti scordar le ma_schere.
Do not forget the vi - zards.
(di dentro a destra gridando)
(calling from within R.)
MEG
No cer_to. Nè tu le ra_ga_
No, sure_ly; nor thou the wands and
Dr C
bian_co e la ve_sta.
- rayed in white garments.
p
pp
M
- nel - le!
ta - pers!
(continuando il discorso col Dr Cajus)
(to Caius, as before)
FORD
Io già di - spo - - si la
My plans I've laid .... with
(21)
p

(parlando)
(spoken)
FOR
re - te mi - a. Sul finir del - la
due pre - cau - tion. When our jest shall be
FOR
fe - sta Ver - re - te a me col vol - to ri - co - per - to Es - sa da un
en - ded, come both to me; but keep your fa - ces hidden, hers by her
m.d.
m.s.
FOR
vel, tu da un man - tel fra - te - sco
veil, thine in a cowl en - shroud - ed...
Dr C.
Siam d'ac -
We're a -
FOR
E vi be - ne - di - rò co - me due spo - si.
And I will bless ye there as bride and bride - groom.
pp

(sul limitare dell'osteria, con gesto furbo verso i due che escono: poi esce rapidamente da destra)
QUIC.
(in the inn-porch, makes a mocking gesture at C. and F. as they go out; then exit rapidly R.)
(Stai fre - sco!)
(What nin - nies!)
D.r C
- cor - do.
- greed, then.
(22)
sempre pp
NAN.
senza misura
(di dentro)
(from within)
Che c'è? Che c'è?
What now? What now?
QUIC.
senza misura
Presto
Nannetta! Ohè! Nannetta! Ohè!
Fair Annie! Fair Annie!
senza misura col canto
p
(di dentro)
(from within)
N
È pre_pa_ra _ ta...
'Tis so al-rea _ dy...
Q
6
Pre_pa_ra la can_zo_ne del_la Fa _ ta.
The fai_ry song; be sure you have it rea _ dy!

Fine della Parte I.ª Atto III.º
End of Part I. Act III

ATTO TERZO-PARTE SECONDA

Act Third-Part Second

IL PARCO DI WINDSOR

WINDSOR PARK

Nel centro la gran quercia di Herne. Nel fondo l'argine d'un fosso. Fronde foltissime. Arbusti in fiore. È notte.
Herne's Oak, C. A sawpit up stage C. Clumps of saplings and flowering shrubs. Night-time.

(entra Fenton)
(enter Fenton)
f
morendo
lunga
FENTON
dolcissimo
(23)
pp
Dal lab_bro il can_to e_sta_sï_a_to
From fer_vid lips the song of love a_
FEN
dolciss.
dolciss.
vo_la...... Pei si_len_zi not_tur_ni e va lon_ta_
_ri_ses,...... Through the stillness of night a_far res_ound_
sempre dolciss.
_no E al_fin ri_trova un altro labbro u_ma_no Che gli ri_
_ing, And from some lof_ty hollow rock re_bounding Is echoed
pp

poco più marcato
FEN
- sponde col - la sua pa - ro - la. Al - lor la
back a - gain in soft re - pri - ses. Its ev'ry
(24)
FEN
no - ta che non è più so - la Vi - bra di
phrase and ac - cent, thus trans - mu - ted, Are sweetened,
p
FEN
gio - ia in un ac - cor - do ar - ca - no E in - na - mo -
mellowed to, by re - pro - duc - tion, And passion's
FEN
- ran - do l'aer an - te - lu - ca - no Con al - tra
loud - est strains, subtly com - mu - ted, Become mere
p
ppp

FEN
dolciss.
vo - ce.......... al suo fon - te ri - vo - - - - - -
whis - pers......... in their course of re - flux - - - - -
dolciss.
ppp
FEN
- la........................
Quivi ri - pi - glia suon, ma...... la sua
- ion........................
Echo is fond of songs; quick - ly she
p
p
FEN
cu - ra.......... Ten - de sempre ad u - nir chi lo di - su - na.........
learns them........ Sings them once, twice or thrice, and then re - turns
dim. e poco allarg.
con espressione
FEN
.... Co - sì ba - ciai la di - sï - a - ta boc - -
them. And thus the lov - - er's kiss should be re - qui - -
f
pp

FEN
-ca!
-ted!
Boc-ca ba-
Kis-sing is
(25)
ppp
NANNETTA
(di dentro lontano)
(from within, afar off)
An-zi rin-
Bliss nev-er
FEN
-cia - - ta non per-de ven-tu - - ra.
fraught............ with such ex-quisite plea - sure.
(avvicinandosi)
(approaching)
dolce
N
-no - va co-me fa........ la lu - - - - - -
pal - ling, and sweet be - yond mea - - - - - -
(slanciandosi verso la parte ove ode la voce)
(rushing in the direction of the voice)
FEN
Ma il can-to
But songs ex-
pp

(entrando improvvisamente trattiene Fenton: Alice non mascherata porta sul braccio una cappa nera ed una maschera)
(Enter M.rs Ford unexpectedly, not in disguise, but carrying a black mask and robe on her arm. She stops Fenton)
ALICE
(entra Nannetta, vestita da Regina delle Fate)
(enter Anne disguised as the Fairy Queen)
Nos - si -
Pri - thee
N
- - na, co - me fa la lu - na.
- sure, aye, sweet be - yond all mea - sure
FEN
muor nel ba - cio che lo toc - - ca.
- pire on lips that are u - ni - ted.
ALL.o VIVO
(obbligando Fenton ad indossare la cappa)
(obliging Fenton to put on the robe)
(M.rs Quickly segue Alice: ha una gran cuffia e manto grigio da befana, un bastone ed un brutto ceffo di maschera)
(Enter Dame Quickly disguised as a witch and carrying a broomstick)
A
- gnore! - Tu indossa que - sta cappa. Al -
gently! Put on this robe mo - nastic. The
N
Lasciati fa - re.
Do as she tells you.
(aiutato da Alice e Nannetta)
(assisted by M.rs Ford and Anne)
FEN
Che vuol dir ciò?
What freak is this?
ALL.o VIVO

(porgendo la maschera a Fenton)
(fitting the mask on Fenton)
(Fenton si aggiusta la cappa e la maschera)
(Fenton arranges his robe and mask)
A
-lac-cia.
mask, too!
(26) ppp leggero
leggero
(frettolosa ed aiutando Fenton ad allacciare la maschera)
(hastily helping Fenton to fasten on the mask)
ALI.
parlante
Il tra-di-
The trick my
NAN.
(rimirando Fenton)
(contemplating Fenton)
È un fra-ticel sgu-sciato dalla Trap - pa.
He looks exactly like a truant Trap - pist.
pp leggero e stacc.

A
men - to che Ford ne mi-nac-cia Tor-nar de - ve in suo
hus - band pro-po - - ses to play you must be clev - er-ly
scor-no e in no-stro a-iu - to. Ub-bi-di-sci
turned to your ad-van - tage Ask no i-dle
FEN.
Spie-ga-te-vi.
Ex-plain yourself.
pre-sto e mu - to. L'oc-ca-sï-o-ne co-me
questions; o-bey me! An op-por-tu-ni-ty fore-
PPP sempre e stacc.
(a Quickly)
(to Dame Quickly)
vie - ne scap-pa. Chi ve-sti-rai da fin-ta
-gone re - curs not! Who is to per-so-nate the

A
spo_sa?
bride?
QUICKLY
Un ga - io la - dron na - su - to Che ab -
A mis - chievous long - nosed strip - ling who
(accorrendo dal fondo, vestita con veli verdi e mascherata)
MEG
(enter M.rs Page drest in green and masked)
(ad Alice)
(to M.rs Ford)
Ho na_sco - sto i fol -
In the saw - pit I've
Q
- bor_re il Dot_tor Ca - - jo.
hates old Doc_tor Cai - - us.
M
- let - ti lun_go il fos_so. Siam pron_te.
hid_den all the urchins. We're rea_dy!

ALI.
(origliando)
(listening)
Zit_to...
Silence!..
mf
A
Vie_ne il pez_zo
I hear the fat man
cres.
(tutte fuggono con Fenton da sinistra)
(all run out L.)
A
gros_so.
coming
Vi_a!..
Vanish!
NAN.
Vi_a!..
Vanish!
MEG
Vi_a!..
Vanish!
QUIC.
Vi_a!..
Vanish!
(27)
ff

ANDte SOSTENUTO ♩= 60
ff
poco dim.
pp
dim.
ff
pp
ff
pp
PIÙ MOSSO ♩= 100
(Dal fondo a destra, quando suona il primo colpo di mezzanotte entra Falstaff con due corna di cervo in testa ed avviluppato in ampio mantello)
(As the first stroke of midnight sounds, enter Falstaff R C wearing a brace of antlers on his head and wrapped in a heavy cloak)
FALSTAFF
(28)
U - na,
One!
(suona mezzanotte)
(the chime strikes midnight)
Campana
Bell
PIÙ MOSSO ♩= 100
pp
FAL
du - e,
Two!
tre,
Three!
quat - tro,
Four!
cin - que,
Five!

FAL
sei, set_te bot_te, Ot_to, no_ve,
Six, Se_ven strokes, Eight, Nine,
ppp
ppp
FAL
die_ci, un_di_ci, do_di_ci.- Mezza -
Ten, El_e_ven, Twelve. 'Tis
mf
movendo
COME PRIMA ♩= 60
FAL
-not_te.
midnight
COME PRIMA ♩= 60
(29)
ppp
(vedendo la quercia di Herne)
(perceiving Herne's oak)
FAL
Quest'è la quercia.-
Here is the oak.-
PP sempre

FAL
Nu - mi pro - teg - ge - te - mi!
Pow'rs divine pro - tect me!
Giove! Tu per a - mor d'Eu - ro - pa ti tra - sfor -
Great Jove! Thou who took'st on thee the form of a bull for
PIÙ MOSSO ♩ = 100
(30)
p
ppp
tr
- ma - sti in bo - ve; Por - ta - sti
love of fair Eu - ro - pa, thy brows were
cor - na. - I Nu - mi c'in - segnan la mo - de - stia.
hor - ned. - Our elders teach us virtue and de - co - rum.
marcate
pp

ALLEGRO ♩=116
FAL
L'a - mo - - - re me - ta -
But Love .... transforms us
ALLEGRO ♩=116
f
(Alice comparisce nel fondo a sinistra)
(Enter M.rs Ford, L.C.)
(ascoltando)
(listens)
- mor - fo - sa un uom in u - na be - - stia.
in - to beasts and bru - ti - fies our mor - - als!
(31)
f
pp animando un poco
pp
O - do un so - a - ve pas - so!
'Tis her light step ap - proaching.
p sempre e staccato
(avvicinandosi ad Alice)
(approaching M.rs Ford)
A - li - ce! A - mor ti chia - ma!
Sweet A - lice! Thy lover calls thee!

(avvicinandosi a Falstaff)
(approaching Falstaff)
ALI.
Sir John! Sir John!
Sir John! Sir John!
FAL
Vie - ni! l'a-mor m'infiam-ma! Sei la mia da - ma! Sei la mia
Hith - er! With love I'm burning! Thou art mine own doe! Thou art mine
A
O sfa - vil - lan - te a - mor!
What ef - fer - ves - cent love!
(afferrandola)
(laying hold of her)
FAL
dam-ma! Vie - ni! Già fremo e
own doe! Hith - er! I glow and
(sempre evitando l'abbraccio)
(avoiding his embrace)
A
Sir John!
Sir John!
FAL
fer - vo! So-no il tuo ser - vo! So-no il tuo cer - vo imbiz-zar-
qui-ver! I am thy stag, thy fat-test of bucks, lord of the

FAL
-ri - to. Ed or pio-van tar-tu-fi, ra-fa-ni, fi-
for - est, Let the skies shower truffles, ra-dishes, and
FAL
-noc-chi!!! E sien la mia pa-stu-ra! E a-mor tra-
fen-nel, And let me feed u-pon them, but drink love
ALI.
No...
No...
FAL
boc-chi!!.. Siam so - li...
on-ly!!.. Are we a-lone love?

A
Qua nel - la sel - va den - sa Mi se - gue
Meg, through the for - est trip - ping, Is near at
A
Meg.
hand.
FAL.
È dop - pia l'av - ven - tu - ra! Ven - ga an - che
A two-fold love ad - ven - ture! Let her come,
con forza
FAL
lei! Squar - ta - - te - mi
too! Now quar - - ter me;
(32)
ff

FAL
Co - me un ca-mo - scio a men - - sa!! Sbra-na - - te-mi!!!.......
Yes, like a roast - ed roe - - buck, now carve...... me!.........
FAL
.... Cu-pido al-fin mi ri-com-pen-sa! io t'a-mo!, io t'a-mo!, io t'a - mo!,
.... For all my pains I am re-war-ded! I love thee! I love thee! I love thee!
f
ALI.
senza misura
(fingendo spavento)
(feigning terror)
Un gri - do! Ahi-mè!
An out - cry! A-las!
MEG
(di dentro
(from within
(entra senza avanzarsi; non ha la maschera)
(shows herself at wing, un-masked)
A - iu - to!!! Vien la tre-
(), Help, help! Here come the
FAL
t'a - - - mo!
love - - - thee!
col canto

a tempo
A
Ahimè!
A_las!
(fugge)
(exit)
Fuggia_mo!
Flee from them!
Il ciel per_
Kind heav'n for_
M
_gen - da!
witch - es!
(spaventato)
(alarmed)
FAL
Do_ve?
Whither?
a tempo
(fugge da destra rapidamente)
(exit R. hurriedly)
_do_ni al mio pec_ca - to!
_give my sore of_fend - ing!
(appiattandosi accanto al tronco di quercia)
(leaning against the trunk of Herne's Oak)
Il dia_vo_lo non
Old Nick will not con_
f
vuol ch'io sia dan - na_to.
_nive at my dam - na_tion!
mf cres.
ff

NANNETTA
LARGO ♩=63
(di dentro)
(from within)
Nin_fe! El_fi!
Woodnymphs, dryads,
(33)
LARGO ♩=63
ppp
N
Sil_fi! Do_ri_di! Si_re_ne! L'a_stro de_gl'incan_
Gob_lins! Fly-by-nights and fair_ies! Yon_der, the star of
N
_te_si_mi in cie_lo è sor_to. Sor_
sor_cer_y is bright_ly shin_ing. A_
(comparisce nel fondo fra le fronde)
(appears among the foliage C.)
N
p
_ge_te! Om_bre se_re_
_rise, ye shad_ows of mid_
p
ppp

_ne!
_night!
VOCI DI DONNE (molto lontane) CHORUS OF WOMEN (afar off)
ppp
Nin _ fe! Sil _ _ fi! Si _ re _ _ _ _
Wood _ nymphs! Dry _ _ ads! and fair _ _ _ _
FALSTAFF (gettandosi colla faccia contro terra lungo disteso)
(lies face downward, stretched at full length on the ground)
sottovoce
So _ no le Fa _ te. Chi le guarda è morto.
Spirits of Darkness! To look on them is deadly!
_ne.
_ies.
(34) legg. ppp
(Nannetta vestita da Regina delle Fate, Alice: alcune Ragazzette vestite da Fate bianche e da Fate azzurre: Falstaff sempre disteso contro terra, immobile)
(Anne drest as the Fairy Queen, Alice, Girls dressed as white and as blue fairies; Falstaff remains on the ground, immobile)
ALI. (sbucando cautamente da sinistra con alcune Fate)
(entering cautiously L., with some of the Fairies)
p
I _ nol _
Come a _

(scorge Falstaff e lo indica alle altre)
(sees Falstaff and points him out to the others)
A
-triam.
-long.
Ste - so al
Ly - ing
NAN. (sbucando a sinistra, con altre Fate e scorgendo Falstaff)
(enters L with other Fairies, and notices Falstaff)
E - gli è là.
He is there...
A
suol...
low...
N
Lo con - fon - de il ter -
He's con - found - ed by
(tutte si inoltrano con precauzione)
(all draw near with caution)
N
-ror.
fear.

ALI.
Non ri- / Do not
LE FATE FAIRIES
Si na-scon-de: / He is hid-ing...
A
-diam! / laugh!
(indicando alle Fate il loro posto, mentre Alice parte rapidamente da sinistra)
(indicating to the Fairies their positions: Alice exits hurriedly L.)
NAN.
Tutte quì, dietro a me... cominciam...
Gather round in a ring; let us start...
Non ridiam! / Do not laugh!
Tocca a / You are
(le piccole Fate si dispongono in cerchio intorno alla loro Regina: le Fate più grandi formano un gruppo a sinistra)
(the smaller Fairies form a ring around their Queen; the larger Fairies form a group on the L.)
te. / first.
dim. e rall.

NAN.
LO STESSO MOVIMENTO ♩ = 63
Sul fil d'un sof - fio e -
LO STESSO MOVIMENTO ♩ = 63
From se - cret caves and
(35)
PPP leggeriss. e staccato
Corda sola
dolciss.
N
- te - si - o
bow - ers
Scor - re - te a - gi - li
E - merge, your locks en -
dolciss.
portando la voce
N
lar - - ve,
- twin - - ing
Fra i ra - mi un ba - glior
With fronds of fern and
tr

N
ce - si - o.. D'al - ba lu - na - re ap -
flow - - ers,.. While yet the moon is
tr
N
- par - ve. Dan - za - - te! e il pas - so
shin - ing. Then dance, fays, light - ly and
p
N
blan - do Mi - su - ri un blan - do suon,
feat - ly, While singing your elf - ish rhymes,
N
Le ma - gi - che ac - cop - pian - do........................ Ca - ro - le al - la can -
Words that are wed - ded sweet - ly........................ To tunes of ol - den
tr
p

N
-zon.
times.
CORO DELLE FATE
CHORUS OF FAIRIES
ppp
(Danzetta lenta e molle delle piccole Fate)
(Slow dance by the little fairies)
La sel - va dor - -
The for - est slum - -
(36) pp (levare Corda sola)
- - me
- - bers;
e sper - de in-cen - - -
its leaf - y boughs..........
- - so ed om - - - bra;
.... their shad - ows spread,
e par nel - l'a - er
Dark green be - neath the
pp

den_so un ver - de a - si - lo in fon - do al
azure sky; an is - let sunk in oce - an's
p
poco allarg.
NAN.
COME PRIMA
dolciss.
Er - riam sot - to la
We wan - der in the
mar.
bed.
COME PRIMA
(37)
PP leggeriss. e stacc.
ancora Corda sola
N
lu - na Scie_glien - do fior da
moon - light, And cull the flow'- rets
dolce
N
fio - re, Ogni co - rol - la in co - re
ten - der, Op'ning their fol - ded pe - tals,
tr.

N
.... Por-ta la sua for-tu-na. Coi gi - gli e le vi-
.... Fragrant perfumes they ren-der. With li - lies, vi-o-lets,
sempre dolce
-o-le Scri-viam de' no - mi ar-ca - - ni,
ro-ses, We spell out words of pow - - er;
dim.
Dal-le fa-ta - te ma - - ni..............................
Each fai-ry touch dis - - clos - - es...........................
tr
.... Ger-mo-gli-no pa-ro - - le.
.... The se-cret of some flow - - er.
(38)
pp

N
Pa-ro-le al-lu - mi - - na - te
De-li-cate re - - ve - - lat - - ions
N
Di pu-ro ar-gen - to e d'or, Car-mi e ma-
Such as the rose - buds tell, Serve us for
N
-lì - - - - - - - - - - - e. Le
in - - - - - - - - - - - - can-
N
Fa - te han-no per ci - - fre.................. i
-ta - tions, fur-nish us man - y.................. a

POCO PIÙ ANIMATO
morendo
N
fior...
spell!
CORO DELLE FATE
CHORUS OF FAIRIES
(Le piccole Fate vanno cogliendo fiori)
(The little fairies pluck flowers)
Mo-via-mo ad u-na ad u-na
POCO PIÙ ANIMATO
Now steal-thi-ly ad-van-cing,
pp
Sot-to il lu-na-re al-bor, Ver-so la quer-cia
Let us at once re-pair, To the gi-gan-tic
p
(tutte le Fate, colla Regina, mentre cantano s'avviano lentamente verso la quercia)
(all the fairies, and their Queen, slowly approach Herne's Oak, singing)
NAN.
dolcissimo
Le Fa-te han-no per
The flow'rs have taught us full
bru-na Del ne-ro Cac-cia-tor.
oak-tree, The Sa-ble Hun-ter's lair.
pp

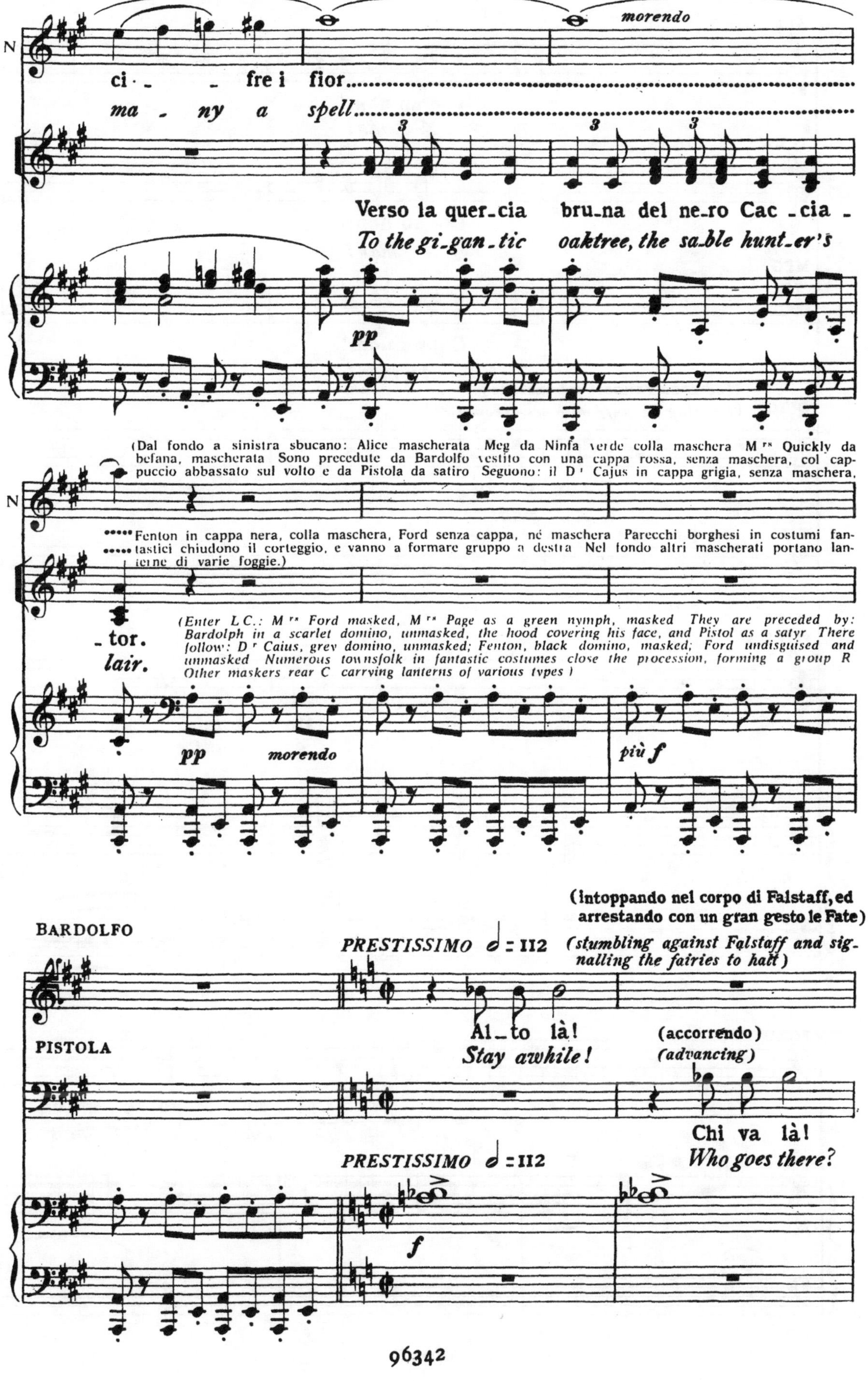
morendo
N
ci - - fre i fior
ma - ny a spell
Verso la quer-cia bru-na del ne-ro Cac-cia-tor.
To the gi-gan-tic oaktree, the sa-ble hunt-er's lair.
pp
(Dal fondo a sinistra sbucano: Alice mascherata Meg da Ninfa verde colla maschera Mrs Quickly da befana, mascherata Sono precedute da Bardolfo vestito con una cappa rossa, senza maschera, col cappuccio abbassato sul volto e da Pistola da satiro Seguono: il Dr Cajus in cappa grigia, senza maschera, Fenton in cappa nera, colla maschera, Ford senza cappa, né maschera Parecchi borghesi in costumi fantastici chiudono il corteggio, e vanno a formare gruppo a destra Nel fondo altri mascherati portano lanterne di varie foggie.)
(Enter LC.: Mrs Ford masked, Mrs Page as a green nymph, masked They are preceded by: Bardolph in a scarlet domino, unmasked, the hood covering his face, and Pistol as a satyr There follow: Dr Caius, grey domino, unmasked; Fenton, black domino, masked; Ford undisguised and unmasked Numerous townsfolk in fantastic costumes close the procession, forming a group R Other maskers rear C carrying lanterns of various types)
pp morendo
più f
BARDOLFO
PRESTISSIMO 𝅗𝅥 = 112
(intoppando nel corpo di Falstaff, ed arrestando con un gran gesto le Fate)
(stumbling against Falstaff and signalling the fairies to halt)
Al-to là!
Stay awhile!
PISTOLA
(accorrendo)
(advancing)
Chi va là!
Who goes there?
PRESTISSIMO 𝅗𝅥 = 112
f

ALI
C'è un uom!
A man!
NAN.
C'è un uom!
A man!
MEG
C'è un uom!
A man!
(toccando Falstaff col bastone)
(touching Falstaff with her broomstick)
QUIC.
C'è un uomo!
A man!
FAL.
Pie_tà!
Good lack!
FATE
FAIRIES
Un uom!
A man!
ff
FORD
Cor_nu_to co_me un
Just like a stag he's
p
mf

FOR
bu - e!
ant - lered!
P
Ro - ton - do co - me un po - mo!
And round as a - ny pump - kin!
BAR.
Gros - so come u - na na - ve!
As Le - vi - a - than monstrous!
(toccando Falstaff col piede)
(kicking Falstaff)
B
Al - za - ti o - là!
Up with thee, a - rise!
FAL.
Porta - te - mi u - na gru - e! Non
Un - less a crane you bring me, I
PIS.
Al - za - ti o - là!
Up with thee, a - rise!

QUIC.
È cor - rot - to!
He's cor - rupt!........
FAL
posso.
cannot.
FORD
È troppo grave.
He is too heavy.
CORO DELLE FATE
CHORUS OF FAIRIES
È cor-
He's cor-
ALI.
È im - pu - ro!
And im - pure!..........
NAN
È im - pu - ro!
And im - pure!..........
MEG
È im - pu - ro!
And im - pure!..........
BAR.
(con dei gran gesti da stregone)
(gesticulating like a sorcerer)
Si
Straight
-rot - to!
-rupt!.........
È im - pu - ro!
And im - pure!.........

(in disparte a Nannetta, mentre il D.r Cajus si aggira come chi cerca qualcuno. Fenton e Quickly nascondono Nannetta colle loro persone.)
(Aside to Anne, while Caius is hunting about. Fenton and Dame Q. stand before Anne and conceal her)
ALI.
(E vi_ta il tuo pe_
(Dan_ger is nigh; e_
B
fac_cia lo scon_giu_ro!
_way I'll ex_or_cise him!
(39)
pp
A
_ri_glio. Già il Dottor Ca_jo ti cer_ca.
NAN
_vade it. Old Doctor Cai_us now seeks thee.
Tro_
We'll
(s'avvia con Fenton nel fondo della scena, protetta da Alice e da Quickly.)
(Anne retires up stage with Fenton, guarded by Mrs. P. and Dame Q.)
N
_viamo un na_scon_diglio.
QUIC.
find some place of safety.
Poi tor_ne_re_te le_sti al mio ri_
And swift return when I shall call u_

(Nannetta, Fenton, Quickly scompajono dietro le fronde)
(Anne, Fenton and Dame Q. disappear among the foliage)
LO STESSO MOVIMENTO ♩. = 112
Q
chiamo.)
-pon ye!)
(continuando i gesti di scongiuro sul corpo di Falstaff)
(continuing his exorcism)
BAR.
Spi - ri - tel - - li! Fol - let - ti! Farfa -
Ev - il spir - - its! Grim gob - lins! Dusky
LO STESSO MOVIMENTO ♩. = 112
f
B
- rel - - li! Vam - pi - - ri! A - - gi - li in -
night - moths! Dark vam - pires! Poi - - son - fraught
B
- set - ti del pa - lu - de in - fer - na - le! Pun - zec -
off - spring of the marsh - es in - fer - nal! You may

B
-chia-te-lo! Or - ti - cheg - gia - te-lo! Mar - ti - riz -
right-fully tor-ment him fright-fully And scratch him

(accorrono dal fondo velocissimi alcuni ragazzi vestiti da Folletti, e si scagliano su Falstaff: altri Folletti, spiritelli, diavoli, sbucano da varie parti. Alcuni scuotono crepitacoli, alcuni hanno in mano dei vimini: molti portano delle piccole lanterne rosse.)

(enter C. boys disguised as imps, and attack Falstaff; other goblins and demons appear from different entrances, striking tambourines and triangles; many of them carry small red lamps)

B
-za-te-lo Coi gri-fi a - guz-zi!
spite-fully With stee - ly ta - lons!
FAL.
(a Bardolfo)
(to Bardolph)
Ahi-mè! tu
A foul scen - ted
p
FAL
puz - - zi Co-me u-na puzzo-la.
wiz - ard, no pole-cat more pesti-lent!
f

SPIRITI
CHORUS OF SPIRITS
(facendo ruzzolare Falstaff sul davanti della scena)
(rolling Falstaff over and over, up and down stage)
Tenori
Ruz - zo - la, ruzzo - la! ruz - zo - la,
Rum - ble him, tumble him! rum - ble him,
FOLLETTI e DIAVOLI
CHORUS OF IMPS
Bassi
Ruz - zo - la, ruzzo - la! ruz - zo - la,
Rum - ble him, tumble him! rum - ble him,
ruzzo - la, ruz - zo - la, ruzzo - la, ruz - zo - la,
tumble him, rum - ble him, tumble him, rum - ble him,
ruzzo - la, ruz - zo - la, ruzzo - la, ruz - zo - la,
tumble him, rum - ble him, tumble him, rum - ble him,
sempre f
ruzzo - la, ruzzo - la, ruzzo - la, ruzzo - la, ruzzo - la, ruzzo - la,
rumble him, tumble him, tumble him, rumble him, tumble him, rumble him,
ruzzo - la, ruzzo - la, ruzzo - la, ruzzo - la, ruzzo - la, ruzzo - la,
rumble him, tumble him, tumble him. rumble him, tumble him, rumble him,

(I folletti più vicini gli pizzicano le braccia, le guancie, lo fustigano coi vimini sulla pancia, lo pungono con ortiche)

(The fairies pinch his arms and cheeks and flog him with nettles)

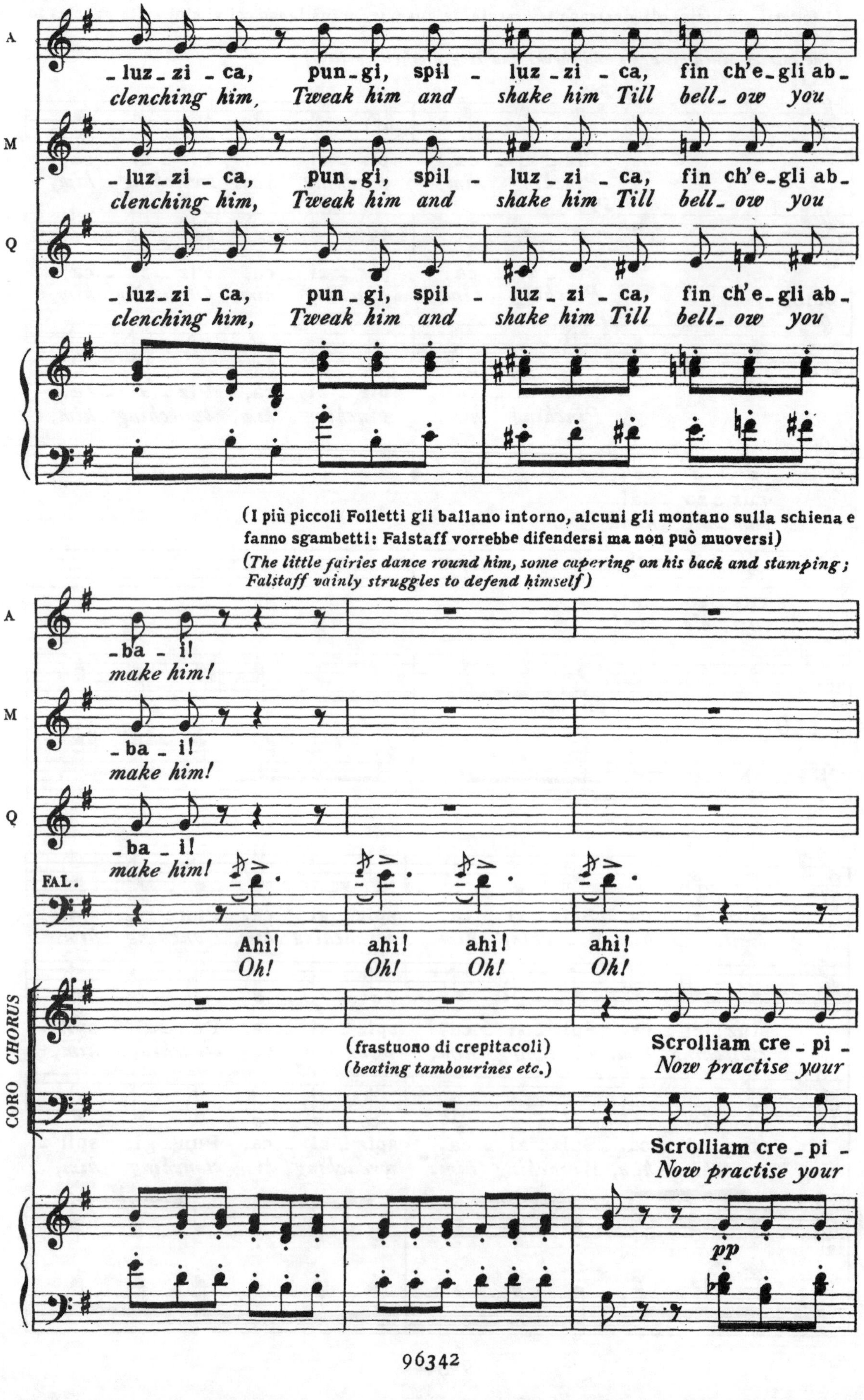
A
- luz - zi - ca, pun - gi, spil - luz - zi - ca, fin ch'e - gli ab -
clenching him, Tweak him and shake him Till bell - ow you
M
- luz - zi - ca, pun - gi, spil - luz - zi - ca, fin ch'e - gli ab -
clenching him, Tweak him and shake him Till bell - ow you
Q
- luz - zi - ca, pun - gi, spil - luz - zi - ca, fin ch'e - gli ab -
clenching him, Tweak him and shake him Till bell - ow you
(I più piccoli Folletti gli ballano intorno, alcuni gli montano sulla schiena e fanno sgambetti: Falstaff vorrebbe difendersi ma non può muoversi)
(The little fairies dance round him, some capering on his back and stamping; Falstaff vainly struggles to defend himself)
A
- ba - i!
make him!
M
- ba - i!
make him!
Q
- ba - i!
make him!
FAL.
Ahì! ahì! ahì! ahì!
Oh! Oh! Oh! Oh!
CORO CHORUS
(frastuono di crepitacoli)
(beating tambourines etc.)
Scrolliam cre - pi -
Now practise your
Scrolliam cre - pi -
Now practise your
pp

_ta _ co _ li Sca _ ran _ do _ le, nac_che_re! Di schizzi e di
thumbs on him, And beat fair _ y drums on him! Then tear him and
_ta _ co _ li Sca _ ran _ do _ le, nac_che_re! Di schizzi e di
thumbs on him, And beat fair _ y drums on him! Then tear him and
zacche_re Quel_l'o _ tre si ma_co_li. Me_niam scor_ri _
tatter him, And soil and be _ spatter him. Let's prick him with
zacche_re Quel_l'o _ tre si ma_co_li. Me_niam scor_ri _
tatter him, And soil and be _ spatter him. Let's prick him with
_bando_le, Dan _ zia _ mo la tre_sca, Tre_schiam le fa _
bulrushes, Keen _ poin _ ted as lan _ces, And on his huge
_bando_le, Dan _ zia _ mo la tre_sca, Tre_schiam le fa _
bulrushes, Keen _ poin _ ted as lan _ces, And on his huge

_ràndo_le Sul_l'am_pia ven _ tre_sca. Zan_zà_re ed as_
ab_do_men per_form all our dan_ces. Mos_qui_toes and
_ràndo_le Sul_l'am_pia ven _ tre_sca. Zan_zà_re ed as_
ab_do_men per_form all our dan_ces. Mos_qui_toes and
f
_sil_li Vo_la_te al_la liz_za Coi dar_di e gli
mid_ges fresh tor_ment shall bring him, And sound their shrill
_sil_li Vo_la_te al_la liz_za Coi dar_di e gli
mid_ges fresh tor_ment shall bring him, And sound their shrill
spil_li! Ch'ei cre_pi di stiz_za, ch'ei cre_pi di
trumpets, and fret him and sting him, and fret him and
spil_li! Ch'ei cre_pi di stiz_za, ch'ei cre_pi di
trumpets, and fret him and sting him, and fret him and
mf stacc.

(cessa il frastuono)
(the turmoil ceases)
stiz - za, ch'ei cre - pi, ch'ei cre - - pi!
fret him, and sting him, and sting him!
stiz - za, ch'ei cre - pi, ch'ei cre - - pi!
fret him, and sting him, and sting him!
ff
VUOTA
ALI.
pp
Piz - zi - ca, piz - zi - ca, piz - zi - ca, stuz - zi - ca, spiz - zi - ca,
Pinching him, pinching him, twitching him, twitching him, Wrenching him,
MEG
pp
Piz - zi - ca, piz - zi - ca, piz - zi - ca, stuz - zi - ca, spiz - zi - ca,
Pinching him, pinching him, twitching him, twitching him, Wrenching him,
QUIC
pp
Piz - zi - ca, piz - zi - ca, piz - zi - ca, stuz - zi - ca, spiz - zi - ca,
Pinching him, pinching him, twitching him, twitching him, Wrenching him,
(41)
pp

A
spiz_zi _ ca, pun_gi, spil _ luzzi _ ca, pun _ gi, spil _
wrenching him, clenching him, clenching him, Tweak him and
M
spiz_zi _ ca, pun_gi, spil _ luzzi _ ca, pun _ gi, spil _
wrenching him, clenching him, clenching him, Tweak him and
Q
spiz_zi _ ca, pun_gi, spil _ luzzi _ ca, pun _ gi, spil _
wrenching him, clenching him, clenching him, Tweak him and
A
_ luz _ zi _ ca, fin ch'egli ab_bà _ i!
shake him, Till bell_ow you make him!
M
_ luz _ zi _ ca, fin ch'egli ab _ bà _ i!
shake him, Till bell_ow you make him!
Q
_ luz _ zi _ ca, fin ch'egli ab _ bà _ i!
shake him, Till bell_ow you make him!
FAL.
Ahi! ahì! ahì!
Oh! Oh! Oh!

A
Coz _ zalo, a _ iz _ za _ lo Dai piè al co _ cuz _ zo _ lo! Strozza _ lo,
Scrape him and scrub at him, Rub off the rust of him! Hammer and
M
Coz _ zalo, a _ iz _ za _ lo Dai piè al co _ cuz _ zo _ lo! Strozza _ lo,
Scrape him and scrub at him, Rub off the rust of him! Hammer and
Q
Coz _ zalo, a _ iz _ za _ lo Dai piè al co _ cuz _ zo _ lo! Strozza _ lo,
Scrape him and scrub at him, Rub off the rust of him! Hammer and
FAL
ahì!
Oh!
FATE
FAIRIES
Coz _ zalo, a _ iz _ za _ lo Dai piè al co _ cuz _ zo _ lo! Strozza _ lo,
Scrape him and scrub at him, Rub off the rust of him! Hammer and
Coz _ zalo, a _ iz _ za _ lo Dai piè al co _ cuz _ zo _ lo! Strozza _ lo,
Scrape him and scrub at him, Rub off the rust of him! Hammer and
SPIRITI
SPIRITS
Ch'ei cre _ pi!
And fret him!
FOLLETTI e DIAVOLI
IMPS
Ch'ei cre _ pi!
And fret him!
mf

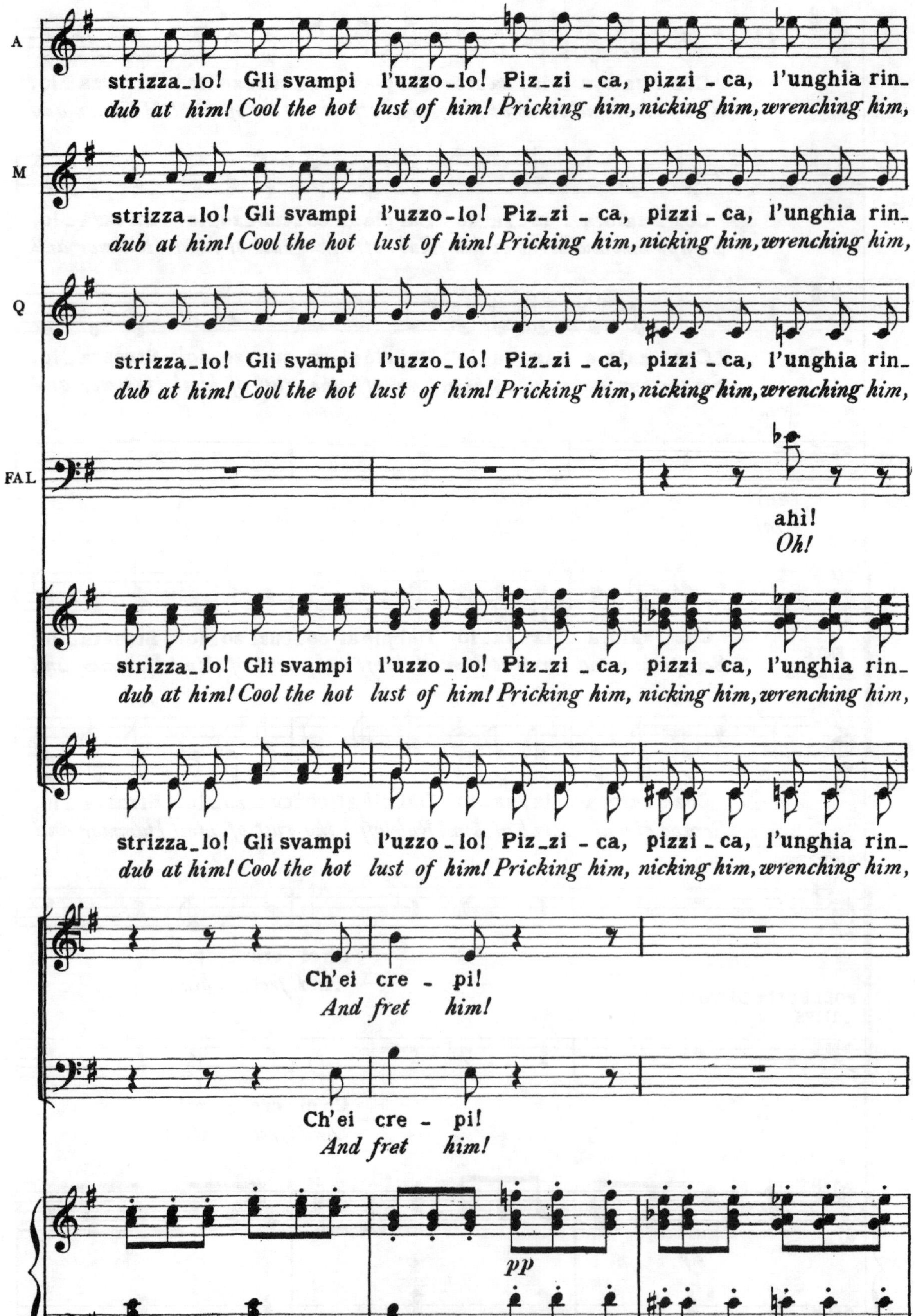
A
strizza_lo! Gli svampi l'uzzo_lo! Piz_zi _ ca, pizzi _ ca, l'unghia rin_
dub at him! Cool the hot lust of him! Pricking him, nicking him, wrenching him,
M
strizza_lo! Gli svampi l'uzzo_lo! Piz_zi _ ca, pizzi _ ca, l'unghia rin_
dub at him! Cool the hot lust of him! Pricking him, nicking him, wrenching him,
Q
strizza_lo! Gli svampi l'uzzo_lo! Piz_zi _ ca, pizzi _ ca, l'unghia rin_
dub at him! Cool the hot lust of him! Pricking him, nicking him, wrenching him,
FAL
ahì!
Oh!
strizza_lo! Gli svampi l'uzzo_lo! Piz_zi _ ca, pizzi _ ca, l'unghia rin_
dub at him! Cool the hot lust of him! Pricking him, nicking him, wrenching him,
strizza_lo! Gli svampi l'uzzo_lo! Piz_zi _ ca, pizzi _ ca, l'unghia rin_
dub at him! Cool the hot lust of him! Pricking him, nicking him, wrenching him,
Ch'ei cre - pi!
And fret him!
Ch'ei cre - pi!
And fret him!
pp

A
_tuz _zo _la! piz _zi _ca, piz _zi _ca, l'unghia rin _
clenching him! Pinching him, twitching him, tweaking him,
M
_tuz _zo _la! piz _zi _ca, piz _zi _ca, l'unghia rin _
clenching him! Pinching him, twitching him, tweaking him,
Q
_tuz _zo _la! piz _zi _ca, piz _zi _ca, l'unghia rin _
clenching him! Pinching him, twitching him, tweaking him,
FAL
ahì! ahì!
Oh! Oh!
_tuz _zo _la! piz _zi _ca, piz _zi _ca, l'unghia rin _
clenching him! Pinching him, twitching him, tweaking him,
_tuz _zo _la! piz _zi _ca, piz _zi _ca, l'unghia rin _
clenching him! Pinching him, twitching him, tweaking him,

A
tuz-zo-la! piz-zi-ca, piz-zi-ca, piz-zi-ca,
shaking him! Pinching him, pinching him, pinching him,
M
tuz-zo-la! piz-zi-ca, piz-zi-ca, piz-zi-ca,
shaking him! Pinching him, pinching him, pinching him,
Q
tuz-zo-la! piz-zi-ca,
shaking him! pinching him,
FAL
ahì!
Oh!
tuz-zo-la! piz-zi-ca, piz-zi-ca, piz-zi-ca,
shaking him! Pinching him, pinching him, pinching him,
tuz-zo-la! piz-zi-ca, piz-zi-ca, piz-zi-ca,
shaking him! Pinching him, pinching him, pinching him,
Ch'ei cre-pi di stiz-za, ch'ei cre-pi di
And fret him and sting him, And fret him and
Ch'ei cre-pi di stiz-za, ch'ei cre-pi di
And fret him and sting him, And fret him and

A
piz-zi-ca, piz-zi-ca, piz-zi-ca, l'unghia rin-tuz-zo-la! piz-zi-ca
pinching him, twitching him, twitching him, tweaking him, shaking him! Pinching him
M
piz-zi-ca, piz-zi-ca, piz-zi-ca, l'unghia rin-tuz-zo-la! piz-zi-ca
pinching him, twitching him, twitching him, tweaking him, shaking him! Pinching him,
Q
piz-zi-ca, piz-zi-ca, piz-zi-ca, l'unghia rin-tuz-zo-la! piz-zi-ca
pinching him, twitching him, twitching him, tweaking him, shaking him! Pinching him,
FAL
piz-zi-ca, piz-zi-ca, piz-zi-ca, l'unghia rin-tuz-zo-la! piz-zi-ca
pinching him, twitching him, twitching him, tweaking him, shaking him! Pinching him,
piz-zi-ca, piz-zi-ca, piz-zi-ca, l'unghia rin-tuz-zo-la! piz-zi-ca
pinching him, twitching him, twitching him, tweaking him, shaking him! Pinching him,
stizza, ch'ei cre-pi di stizza, ch'ei cre-pi di stizza!
sting him, And fret him and sting him, And fret him and sting him!
stizza, ch'ei cre-pi di stizza, ch'ei cre-pi di stizza!
sting him, And fret him and sting him, And fret him and sting him!

A
piz-zi-ca, piz-zi-ca, piz-zi-ca!
pinching him, pinching him, pinching him!
M
piz-zi-ca, piz-zi-ca, piz-zi-ca!
pinching him, pinching him, pinching him!
Q
piz-zi-ca, piz-zi-ca, piz-zi-ca!
pinching him, pinching him, pinching him!
FAL
piz-zi-ca, piz-zi-ca, piz-zi-ca!
pinching him, pinching him, pinching him!
piz-zi-ca, piz-zi-ca, piz-zi-ca!
pinching him, pinching him, pinching him!
(p)
Ruz-zo-la, ruz-zo-la, ruz-zo-la,
Rumble and tumble him, rumble and
(p)
Ruz-zo-la, ruz-zo-la, ruz-zo-la,
Rumble and tumble him, rumble and
pp

(Ford, Dr Cajus, Pistola e Bardolfo alzano Falstaff e lo obbligano a star ginocchioni)
(Ford, Dr Caius, Bardolph and Pistol raise Falstaff and compel him to kneel)

LO STESSO MOVIMENTO
Dr C
-tron! Ghiot - ton! Bè -
dog! Huge hog! Thy
BAR.
Pol - tron! Pan - cion!
Pol - troon! O - bese!
FOR
-tron! Ghiot - ton! Bè -
dog! Huge hog! Thy
PIS.
Pol - tron! Pan - cion!
Pol - troon! O - bese!
LO STESSO MOVIMENTO
(42)
Dr C
-on! In gi - noc - chion!
sins U - pon thy knees!
B
Bric - con! In gi - noc - chion!
Con - fess u - pon thy knees!
FOR
-on! In gi - noc - chion!
sins U - pon thy knees!
P
Bric - con! In gi - noc - chion!
Con - fess u - pon thy knees!
ff

ALI.
Guan-cia ri-gon-fia!
Features all puffed out!
B
Scon-quas-sa-
Crush-er of
FOR
Pan-cia ri-tron-fia!
Car-case all stuffed out!
mf
MEG
Sfon-da se-
Mean-est of
QUIC.
Spac-ca far-set-ti!
Rum-pler of head-gear!
B
-let-ti!
bed-gear!
PIS.
Vuo-ta ba-ri-li!
Deep-est of drin-kers!
cres.

(Bardolfo, che avrà preso il bastone a Quickly, dà una bastonata a Falstaff)
(Bardolph strikes Falstaff with Dame Q's broomstick)

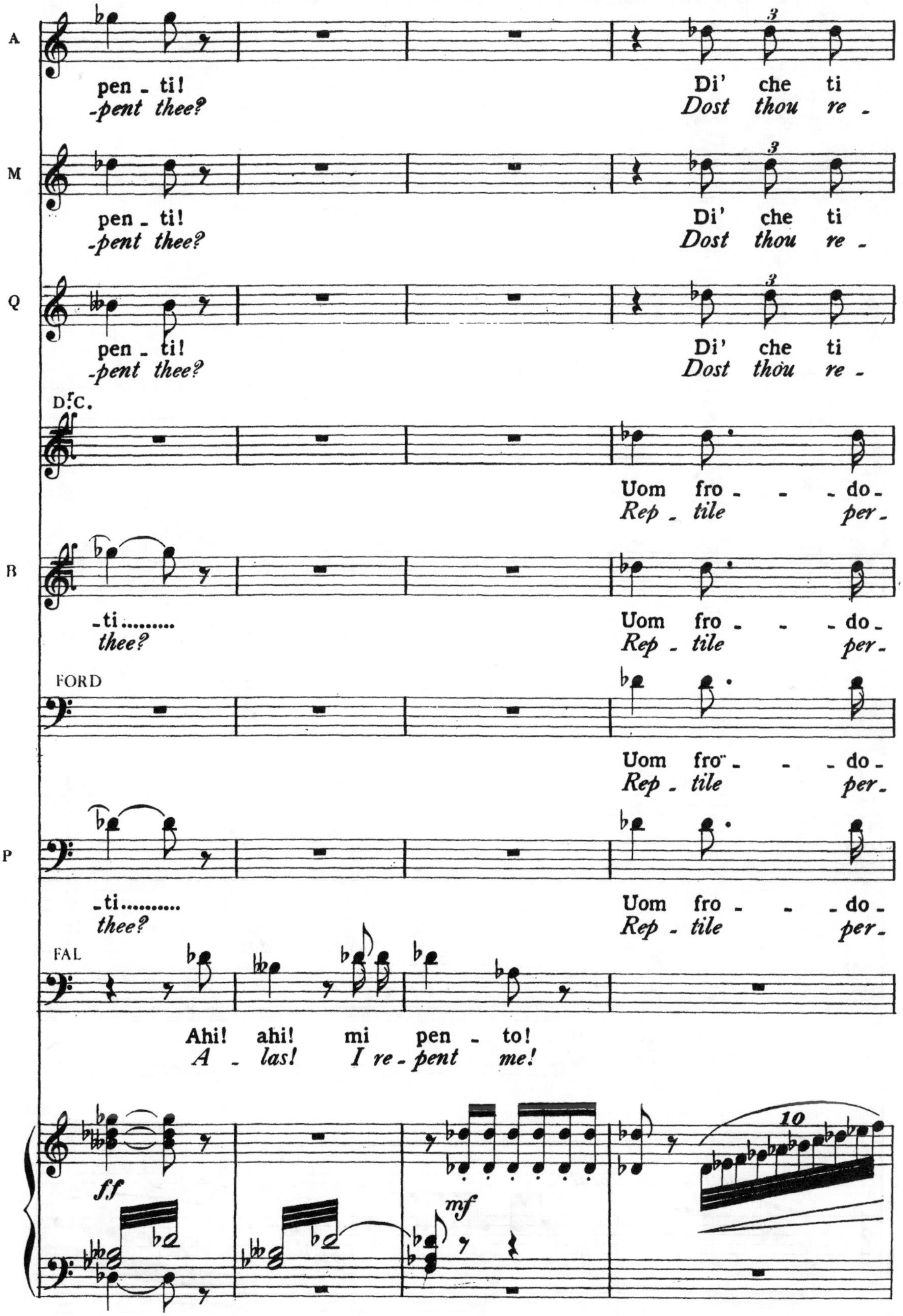
A
pen - ti!
-pent thee?
Di' che ti
Dost thou re -
M
pen - ti!
-pent thee?
Di' che ti
Dost thou re -
Q
pen - ti!
-pent thee?
Di' che ti
Dost thou re -
D.r C.
Uom fro - - do -
Rep - tile per -
B
-ti.........
thee?
Uom fro - - do -
Rep - tile per -
FORD
Uom fro - - do -
Rep - tile per -
P
-ti..........
thee?
Uom fro - - do -
Rep - tile per -
FAL
Ahi! ahi! mi pen - to!
A - las! I re - pent me!
ff
mf
10

(Pistola, prendendo il bastone da Bardolfo dà un'altra bastonata a Falstaff)
(Pistol snatches the broomstick from Bardolph and strikes Falstaff with it)

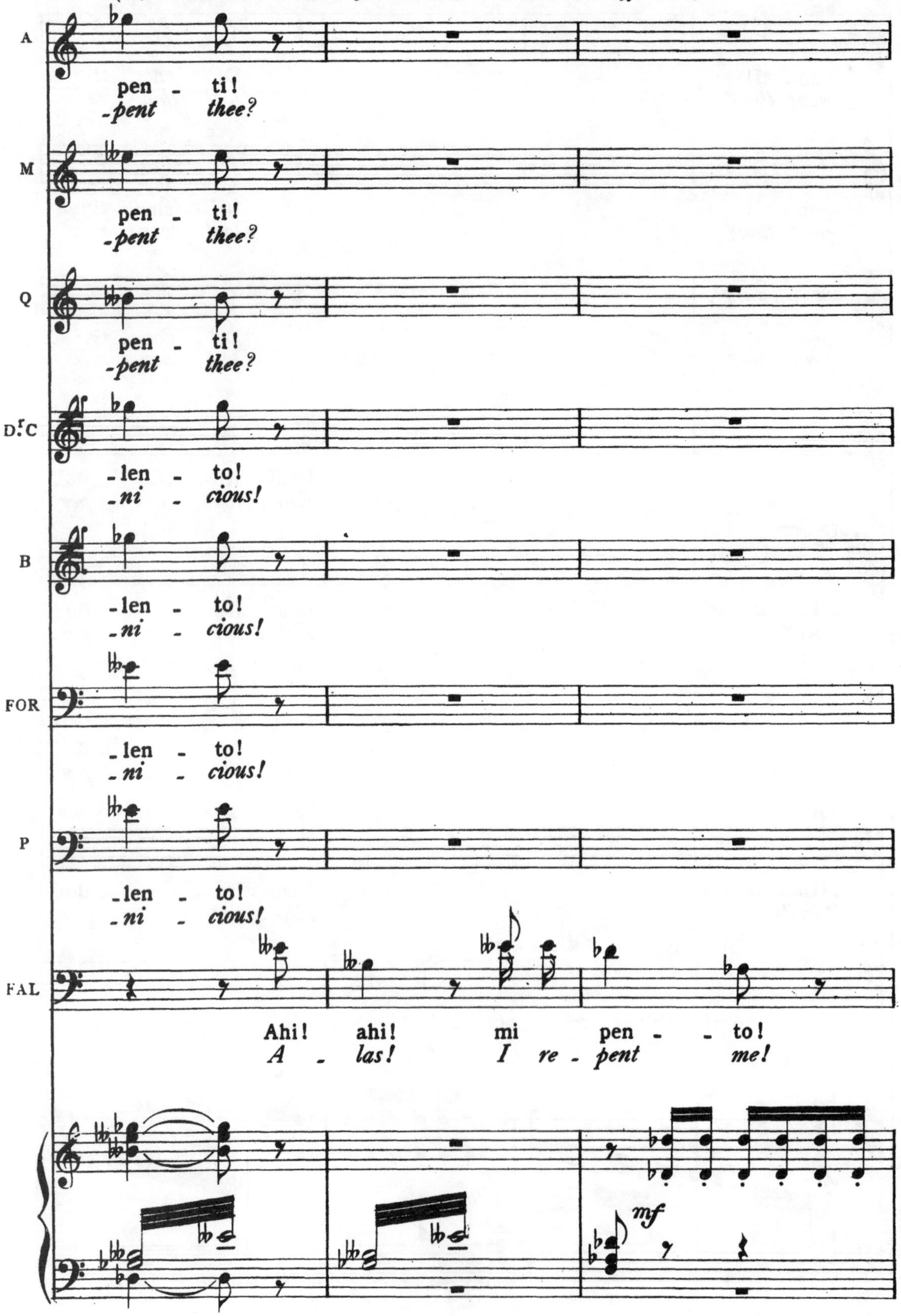
A
pen - ti!
-pent thee?
M
pen - ti!
-pent thee?
Q
pen - ti!
-pent thee?
Dr C
-len - to!
-ni - cious!
B
-len - to!
-ni - cious!
FOR
-len - to!
-ni - cious!
P
-len - to!
-ni - cious!
FAL
Ahi! ahi! mi pen - to!
A - las! I re - pent me!
mf

(Bardolfo riprende il bastone e colpisce nuovamente Falstaff)
(Bardolph recovers possession of the broomstick and again strikes Falstaff with it)

A
Di' che ti pen - ti!
Dost thou re - - pent thee?
M
Di' che ti pen - ti!
Dost thou re - - pent thee?
Q
Di' che ti pen - ti!
Dost thou re - - pent thee?
Dr C
Uom tur - - - bo len - to!
Faith - less and vi - cious!
B
Uom tur - - - bo - len - to!
Faith - less and vi - cious!
FOR
Uom tur - - - bo - len - to!
Faith - less and vi - cious!
P
Uom tur - - - bo - len - to!
Faith - less and vi - cious!
FAL
Ahi! ahi! mi
A - las! I re -
10
ff

D.r C
Ca - pron! Scroc - con! Spac - con!
Re - pent! Re - pent! Re - pent!
B
Ca - pron! Scroc - con! Spac - con!
Re - pent! Re - pent! Re - pent!
FOR
Ca - pron! Scroc - con! Spac - con!
Re - pent! Re - pent! Re - pent!
P
Ca - pron! Scroc - con! Spac - con!
Re - pent! Re - pent! Re - pent!
FAL
pen - to! Per-
-pent me! Con-
mf
pp
(colla faccia vicinissima a quella di Falstaff)
(with his face close to Falstaff's)
B
Ri - for-ma la tua vi - ta!
Re - form thy conduct fligh - ty!
FAL
-don! Tu pu - ti d'acqua -
-tent! Thou reek'st of a - qua -

ALI.
UN POCO MENO ♩=100
Do-mi-ne fal-lo ca - sto!
Hea-ven vouchsafe to chasten him!
MEG
Do-mi-ne fal-lo ca - sto!
Hea-ven vouchsafe to chasten him!
QUIC.
Do-mi-ne fal-lo ca - sto!
Hea-ven vouchsafe to chasten him!
Dr C.
Pancia ri-tron-fia!
Carcase all stuffed out!
B
Pancia ri-tron-fia!
Carcase all stuffed out!
FORD
Pancia ri-tron-fia!
Carcase all stuffed out!
PIS.
Pancia ri-tron-fia!
Carcase all stuffed out!
FAL
-vi-ta! Ma sal - va-gli l'ad-
-vi-tæ! But save his soul, kind
UN POCO MENO ♩=100
(43) pp dolcissimo

A
Do - mi - ne fal - lo gua - sto!
Or to perdi - tion hasten him!
M
Do - mi - ne fal - lo gua - sto!
Or to perdi - tion hasten him!
Q
Do - mi - ne fal - lo gua - sto!
Or to perdi - tion hasten him!
Dr C
Pancia ri -
Features all
B
Pancia ri -
Features all
FOR
Pancia ri -
Features all
P
Pancia ri -
Features all
FAL
- do - mi - ne.
Hea - ven!
Ma
But
LE FATE
FAIRIES
Piz - zi - ca, piz - zi - ca, piz - zi - ca!
Pinching him, pinching him, pinching him!
3

A
Fal - - lo pu-ni - to
Deep- - ly humi - li-
M
Fal - - lo pu-ni - to
Deep- - ly humi - li-
Q
Fal - - lo pu-ni - to
Deep- - ly humi - li-
Dr C
-tron-fia!
puffed out!
B
-tron-fia!
puffed out!
FOR
-tron-fia!
puffed out!
P
-tron-fia!
puffed out!
FAL
sal - vagli l'ad - do - mine.
save his soul, kind Heav - en!
Piz-zi - ca, stuzzi - ca, piz-zi - ca!
Twitching him, twitching him, twitching him!

A
M
Q
D.r C
B
FOR
P
FAL
Do - mi_ne!
_ate........ him!
Do - mi_ne!
_ate........ him!
Do - mi_ne!
_ate........ him!
Vuo_ta ba - ri - li!
Deepest of drinkers!
Vuo_ta ba - ri - li!
Deepest of drinkers!
Vuo_ta ba - ri - li!
Deepest of drinkers!
Vuo_ta ba - ri - li!
Deepest of drinkers!
Ma sal - vagli l'ad - do - mi - ne.
But save his soul, kind Heav - en!
Piz_zi_ca, pun_gi, spil_
Wrenching him, wrenching him,

A
Fal - - lo penti - to Do - mi - ne!
Hea - - vi - ly cas - ti - gate........ him
M
Fal - - lo penti - to Do - mi - ne!
Hea - - vi - ly cas - ti - gate........ him
Q
Fal - - lo penti - to Do - mi - ne!
Hea - - vi - ly cas - ti - gate........ him
Dr. C
Sfianca se - di - li!
Meanest of slin - kers!
B
Sfianca se - di - li!
Meanest of slin - kers!
FOR
Sfianca se - di - li!
Meanest of slin - kers!
P
Sfianca se - di - li!
Meanest of slin - kers!
FAL
Ma sal - - vagli l'ad -
But save his soul, kind
- luz - zi - ca!
wrenching him!

POCO PIÙ ANIMATO ♩= 120
D.r C
B
FOR
P
FAL.
Glo - bo d'impu - ri -
Mass of im-pu - ri -
- do - mi - ne.
Heav - en!
Piz - zi - ca, piz - zi - ca, piz - zi - ca!
Clenching him, clenching him, clenching him!
(44)
POCO PIÙ ANIMATO ♩= 120
- tà! Rispon - di.
- ty! What say'st thou?
Ben mi sta.
It is well!

D.r C
B
FOR
P
Mon - te di o - be - si - tà ri - spon - - - -
Lump of o - be - si - ty! What say'st - - - -
- di.
- thou?
O - tre di mal - va -
Hogs - head of mal - voi -
FAL
Ben mi sta.
It is well!
pp
ff

Dr C
-si - a rispon - - - - - di.
-sie, What say'st - - - - - thou?
B
-si - a rispon - - - - - di.
-sie, What say'st - - - - - thou?
FOR
-si - a rispon - - - - - di.
-sie, What say'st - - - - - thou?
P
-si - a rispon - - - - - di.
-sie, What say'st - - - - - thou?
FAL
Co - sì si - a.........
Let it be so.........
pp
B
Re dei pan-ciu - - ti! Re dei cor-nu - - ti!
Bloat - ed of-fend - - er! Shame - less pre-tend - - er!
FAL
.... Va via, tu pu - ti. Va via, tu
.... Away! thou reek-est Away! thou
mf
incalzando a poco a poco sempre...............................

Dr C
B
FORD
PIS.
FAL
Fur-fan-te-ri-a! Ga-gliof-fe-ri-a!
Ly-ing tra-du-cer! Fu-tile se-du-cer!
pu-ti. Ahi! Co-sì si-a. Ahi! Co-sì
reek-est! Why, then, so be it! Why, then so
Dr C
B
FOR
P
FAL
Furfan-te-ri-a! Gagliof-fe-ri-a!
Lying tra-du-cer! Futile se-du-cer!
(con veemenza)
(vehemently)
Ed or che il dia-vo-lo ti por-ti
Satan will take him, and shake him, and
-si-a. Ahi! ahi! ahi! ahi!
be it! Ah! Ah! Ah! Ah!

(nella foga del dire gli casca il cappuccio)
(in his excitement he throws off his cowl)
B
vi - a!!!
bake him!!!
(rialzandosi)
(raising himself)
FAL
Ni_tro! Ca_tra_me! Solfo!!! Ri_co_
Hades! E_re_bus! A_che_ron!!! 'Tis the
Più animato
FAL
_no - sco Bar_dol - fo!
pest - i - lent Bar - dolph!
ff
(incalzando violentemente Bardolfo che retrocede)
(threatening Bardolph who draws back)
FAL
Na - so ver - mi - glio! Na - so bar - gi - glio! Pun_tù_ta
Nose all ver - mi - lion! Shaped like a pil - lion! Snuffler vo_
p
(45)

FAL
le-si-na! Vam-pa di re-si-na! Sa-la-mandra! I-gnis
-ci-fe-rous! Rushlight pes-ti-fe-rous! Sa-la-mander! «I-gnis
FAL
fa-tu-us! Vec-chia a-la-barda! Stec-ca di sar-to-re! Schidion d'in-
fa-tu-us!» Ruf-fian-ly pander! Mi-se-ra-ble gander! Thou thing of
FAL
-fer-no! A-rin-ga sec-ca! Vampi-ro! Ba-si-li-sco! Ma-ni-gol-do! La-
fustian! In slow com-bustion! Vampire, thief and traitor! Purple-snouted al-li-
FAL
-dro-ne! Ho det-to. E............... se men-ti-sco
-ga-tor! Dix-is-ti! If............... I have wronged him,
ff
p

FAL
Vo - glio che mi si spac - chi il cin - tu - ro - ne!!!!
May ev' ry un - just word rise up a - gainst me!!!!
ALI.
Poco meno
Bra - vo!
Bra - vo!
MEG
Bra - vo!
Bra - vo!
QUIC.
Bra - vo!
Bra - vo!
Dr C.
Bra - vo!
Bra - vo!
FORD
Bra - vo!
Bra - vo!
PIS.
Bra - vo!
Bra - vo!
FAL
Un po - co di
Some res - pite, I
(46)
Poco meno
p
m.d.

QUIC.
(sottovoce a Bardolfo, col quale poi scompare dietro gli alberi)
(aside to Bardolph, with whom she disappears behind the trees)
(Vie_ni. Ti co_pri_rò col ve_lo
(Come, with the headdress white I'll now dis_
FAL
pau_sa. So_no stan_co.
pray ye. I am weary.
Q
bian_co.)
guise thee!)
FORD
Ed or, men_tre vi pas_sa la scal_
And now, while your com_po_sure you re_
p dim.
FOR
_ma_na, Sir John,
_cov_er, Sir John,
poco rall:
♩= 100
FOR
di_te: Il cor_nu_to chi
tell me: Which of us wears the
♩= 100
ppp

(ironicamente a Falstaff)
(to Falstaff ironically)
ALI.
Chi è? Chi
Per - pend! Per -
MEG
(ironicamente a Falstaff)
(to Falstaff ironically)
Chi è? Chi è?
Per - pend! Per - pend!
FOR
è?
horns?
(smascherandosi)
(unmasking)
A
è?
-pend!
Vi sie - te fat - to mu - to?
With dumbness are you strick - en?
allarg. un poco e dim.
(ritorna Quickly)
(re-enter Dame Quickly)
(interponendosi)
(interrupting)
A
(stendendo la mano a Ford)
(holding out a hand to Ford)
Sba - glia - te nel sa -
In er - ror you ad -
FAL.
Ca - - ro Si - gnor Fon - ta - na...
Dear........... Master Brook! pray hear me...
(47)

A
-lu - to. Quest'è Ford mio ma - ri - - - - -
-dress him, This is Ford, my good hus - - - - -
pp
LO STESSO MOVIMENTO ♪=100
A
-to.
-band!
QUIC.
(come prima)
(as before)
Ca - va - lie - -
Sir, fair greet - -
FAL.
Re - ve -
Wor - thy
LO STESSO MOVIMENTO ♪=100
allarg.
a tempo
leggero
Q
- - - - - - - - ro, Voi cre - de - ste due don - ne co - sì
- - - - - - - - ing! Could you fan - cy two wo - men so be -
allarg.
FAL
-ren - - - - - - - za.
wo - - - - - - - man!
pp allarg.
a tempo
pp

marcato
Q
grul - le, Co-sì ci - trul-le, Da dar - si a-ni-ma e cor - po al -
-night-ed and so de-mented That they, bo-dy and soul, should
Q
- l'Av - ver - sie-ro, Per un uom vec - chio, sù - dicio ed o -
risk per - di-tion for an old grey - beard, bald a-bout the
ALI.
f
E con quel pe -
Man-age to wad -
MEG
Con quella te - sta cal - va... E con quel pe -
So fat that he can scarce - ly Man-age to wad -
Q
- be - so... Con quella te - sta cal - va... E con quel pe -
nod - dle, So fat that he can scarce - ly Man-age to wad -
f
(48)

A
-so!
-dle?
M
-so!
-dle?
Q
-so!
-dle?
FORD
Par - lan chia - ro.
Plain - ly spo - ken!
p
cresc
FAL.
In - co - min-cio ad ac - cor - - - ger-
I be - gin to per - ceive,............... a -
f
p
ALI.
Un
A
FAL
-mi d'es-ser sta-to un so - ma - - - - - ro.
-las! that I have made an ass.......... of my - self.
p

A
cer_vo.
scape-goat.
Ah! Ah!
Ha! Ha!
MEG
Ah! Ah!
Ha! Ha!
QUIC.
Ah! Ah!
Ha! Ha!
FORD
Un bu_e e un mo_ _ _ stro
A bug-bear, a mon_ _ _ ster
PIS.
Ah! Ah!
Ha! Ha!
Sop.
Ah! Ah!
Ha! Ha!
Ten.
Ah! Ah!
Ha! Ha!
Bassi
Ah! Ah!
Ha! Ha!
CORO
CHORUS

A
M
Q
FOR
P
un bu - e, un cer - vo, un bu - e, un
a bugbear, a scapegoat, a bugbear, a
Un cer - vo, un cer - vo, un bu - e, un
A scapegoat, a scapegoat, a bugbear, a
Un mostro ra - - - - - - - - - - - -
A monster rare
raro, un mostro ra - - - - - - - - - - - - - - -
rare, a monster rare
Un mostro ra - - - - - -
A monster rare
Un mostro ra - - -
A monster rare
Un mostro
A monster
cres.
f

lunga pausa
A
bu - - - - e, ah! ah! ah! ah! ah! ah!
bug - - - - bear, ha! ha! ha! ha! ha! ha!
M
bu - - - - e, ah! ah! ah! ah! ah! ah!
bug - - - - bear, ha! ha! ha! ha! ha! ha!
Q
- - - - - - ro, ah! ah! ah! ah! ah! ah!
ha! ha! ha! ha! ha! ha!
FOR
- - - - - - ro, ah! ah! ah! ah! ah! ah!
ha! ha! ha! ha! ha! ha!
P
- - - - - - ro, ah! ah! ah! ah! ah! ah!
ha! ha! ha! ha! ha! ha!
Un mostro ra - ro, ah! ah! ah! ah! ah! ah!
A monster rare, ha! ha! ha! ha! ha! ha!
- - - - - - ro, ah! ah! ah! ah! ah! ah!
ha! ha! ha! ha! ha! ha!
ra - - - - - ro, ah! ah! ah! ah! ah! ah!
rare ha! ha! ha! ha! ha! ha!
ff
lunga pausa

MODERATO ♩= 80
calmo
FAL.
O-gni sor-ta di gen-te doz-zi-na-le Mi bef-fa
I observe that all sorts of vul-gar rab-ble At my mishaps
MODERATO ♩= 80
(49)
p
FAL
e se ne glo-ria; Pur, senza me co-stor con tanta
are coarsely jesting; Vain-ly I seek ex-cept of my sug-
f
pp
leggero
FAL
boria Non a-vrebbero un bricciolo di sa-le. Son
-gesting, A-ny single spark of humour in their babble! 'Tis
p
pp
LO STESSO MOVIMENTO ♩= 80
cres.
FAL
io, son io, son io, che vi fa scaltri.
I, 'tis I a-lone, more is the pi-ty!
LO STESSO MOVIMENTO ♩= 80
f
pp

dolce
FAL
L'ar-gu-zia mi-a cre-a l'ar-gu-zia degl'al- - -
Whose wits sup-ply ye the wherewith-al to be wit- - -
pp
leggero
ALI.
Ma bra-vo!
Well said, Knight!
MEG
Ma bra-vo!
Well said, Knight!
QUIC.
Ma bra-vo!
Well said, Knight!
FORD
Per gli Dei! Se non ri-des-si ti sconquas-se-rei!
By the gods! Had'st thou been less lighthearted, I had slain thee!
FAL
-tri.
-ty!
Ten.
Ma bra-vo!
Well said, Knight!
Bassi
Ma bra-vo!
Well said, Knight!
CORO
CHORUS
(50)
f

senza misura
pausa
FOR
Ma ba_sta. Ed or vo' che m'ascol_tia_te.
Now hearken! Give ear, I pray, to my pro_po_sal.
col canto
FOR
Co_ro_ne_rem la masche_ra_ _ta bel_la Co_gli spon_sa_li
Let us all con_clude this gay noctur_nal fro_lic with the be_tro_thal
(Il Dr. Cajus e Bardolfo vestito da Regina delle Fate col viso coperto da un velo, s'avanzano lentamente tenendosi per mano. Il Dr. Cajus avrà la maschera sul volto)
(Dr. Catus and Bardolph, the latter dressed as Queen of the Fairies and veiled, advance slowly hand-in-hand. Dr. Caius is masked)
FOR
del_la Re_gi_na delle Fa_te.
of the fair Queen of all the Fai_ries.
ALLEGRETTO ♩= 88
ALLEGRETTO ♩= 88
col canto
p dolce
FOR
Già s'avanza la cop_pia de_gli spo_si. At_
Here's a couple made one by true af_fec_tion. Ob_

FOR
_ ten _ ti! Ec _ co _ la in bian _ ca
_ serve them! White as snow her brid _ al
FAL.
At _ ten _ ti!
Ob _ serve them!
Sop.
At _ tèn _ ti!
Ob _ serve them!
Ten.
At _ ten _ ti!
Ob _ serve them!
Bassi
At _ ten _ tì!
Ob _ serve them!
CORO CHORUS
dolciss.
ve _ sta, Col ve _ lo e il ser _ to del _ le ro _ se in te _ _ sta
dress is, A wreath of rose _ buds decks her flow _ ing tres _ _ ses;
pp
(Bardolfo e il Dr Cajus si portano nel mezzo: le Fate li circondano.)
(Bardolph and Dr Caius stand C., the fairies surround them)
E il fi _ dan _ za _ to su _ o ch'io le di _ spo _ si. Circon _ da _ te _ la o
Wealthy and wise her con _ sort; he is of my se _ lection. Gather round them, ye
(51)
p

(presenta Nannetta e Fenton che saranno entrati: Nannetta è tutta coperta da un gran velo celeste: Fenton ha la maschera e la cappa)
(leads forward Anne and Fenton; Anne enveloped in blue drapery, Fenton hooded and masked)
ALICE
U_n'al_tra cop_pia d'a_man_ti de_sï_
This rash young cou_ple ad_van_ces with com_
FOR
Nin_fe!
Fai_ries!
A
_o_si Chie_de d'es_ser am_mes_sa a_gli augu_
_punc_tion, Crav_ing your kin_dly sanc_tion of its con_
(I folletti guidati da Alice si avvicinano a Bardol_
(The sprites, led by Mrs Ford, approach Bardolph
A
_ro_si con_nu_bi!
_junc_tion con_nu_bial!
FORD
E si_a. Fa_rem la fe_sta
So be it! and may their yoke de_

fo ed al D^r. Cajus: un piccolo folletto preso in braccio da Alice alza la sua lanterna all'altezza del viso
and D^r. Caius - a tiny sprite, carried by Mrs Ford, raises his lantern to the level of Bardolph's face.

FOR
dop_pia! Av_vi_ci_na_te i lu - mi.
_light them! Bring hith_er all the ta - pers.

di Bardolfo. Fenton e Nannetta tenendosi per mano stanno qualche passo discosti dal centro.)
Anne and Fenton, holding hands, stand somewhat apart from the central group)

Il ciel v'accop - - pia.
Kind Heav'n unite them!

(al comando di Ford, Fenton e il D^r. Cajus rapidamente si levano la maschera: Nannetta si toglie il velo, e Quickly, che è dietro Bardolfo, gli leva il velo da testa, e tutti rimangono a viso scoperto)
(At Ford's command, Fenton and D^r. Caius rapidly unmask; Anne unveils, and Dame Quickly, standing behind Bardolph, plucks the veil from his head; all remain with uncovered faces)

VIVACE ♩ = 120

Cast a_way your dis_guises! A_po_the - o - sis!
VIVACE ♩ = 120

ALI.
Ah! ah! ah! ah!
Ha! ha! ha! ha!
MEG
Ah! ah! ah! ah!
Ha! ha! ha! ha!
QUIC.
Ah! ah! ah! ah!
Ha! ha! ha! ha!
(sorpreso, riconosce Bardolfo)
(amazed, recognising Bardolph)
D.r C.
Spa_ven_to!
Con_fu_sion!
FAL.
Ah! ah! ah! ah!
Ha! ha! ha! ha!
(sorpreso)
(amazed)
FOR.
Tra_di_
Conster-
PIS.
Ah! ah! ah! ah!
Ha! ha! ha! ha!
Sop.
Ah! ah! ah! ah!
Ha! ha! ha! ha!
Ten.
Ah! ah! ah! ah!
Ha! ha! ha! ha!
Bassi
Ah! ah! ah! ah!
Ha! ha! ha! ha!
ff

A
M
Q
(esterrefatto)
(horror-stricken)
D.r C
Ho spo-
I am
FAL
A-po-te-ò - - - si!
A-po-the-o - - - sis!
(vedendo l'altra coppia)
(perceiving the other couple)
FOR
-men-to!
-na-tion!
Fen-ton con mia figlia!!!
My daughter with Fenton!!!
P
A-po-te-ò - - - si!
A-po-the-o - - - sis!
A-po-te-ò - - - si!
A-po-the-o - - - sis!
A-po-te-ò - - - si!
A-po-the-o - - - sis!
A-po-te-ò - - - si!
A-po-the-o - - - sis!
ff

A
Ah! ah! Vit - to - ria! Ev - vi - va! Ev-
Ha! ha! We triumph! Stu - pendous! Stu-
M
Ah! ah! Vit - to - ria! Ev - vi - va! Ev-
Ha! ha! We triumph! Stu - pendous! Stu-
Q
Ah! ah! Vit - to - ria! Ev - vi - va! Ev-
Ha! ha! We triumph! Stu - pendous! Stu-
marcato
D.r C
- sa - to Bar - dol - fo!! Spa - ven - to! Spa-
married to Bardolph!! Con - fu - sion! Con-
FAL
Ah! ah! Ev - vi - va! Ev-
Ha! ha! Stu - pendous! Stu-
FOR
P
Ah! ah! Ev - vi - va! Ev-
Ha! ha! Stu - pendous! Stu-
Ah! ah! Ev - vi - va! Ev-
Ha! ha! Stu - pendous! Stu-
Ah! ah! Ev - vi - va! Ev-
Ha! ha! Stu - pendous! Stu-
Ah! ah! Ev - vi - va! Ev-
Ha! ha! Stu - pendous! Stu-

(avvicinandosi a Ford)
(approaching Ford)
A
_vi_va!
_pendous!
M
_vi_va!
_pendous!
Q
_vi_va!
_pendous!
D^r C
_ven_to!
_fu_sion!
FAL
_vi_va!
_pendous!
(ancora sotto il colpo dello stupore)
(still stupified by amazement)
FOR
Oh! me _ ra_vi_glia!!
What strange sur_pri_ses!
P
_vi_va!
_pendous!
_vi_va!
_pendous!
_vi_va!
_pendous!
_vi_va!
_pendous!
rall a poco a poco fino al ....
p

♩ = 100
(a Ford)
ALI.
grazioso (to Ford)
L'uom ca-de spes-so nel-le re-ti or-di-te........ Dal - le...
We of-ten fall in-to the net that's wo-ven by our own...
........♩ = 100
pp
allarg.
A
.... ma-li-zie su - e.
.... in-gen-ious cun - ning.
(avvicinandosi a Ford con un inchino ironico)
(approaching Ford with an ironical bow)
FAL.
Ca - ro buon Mes-ser
Dear - ly be-lov-ed
(53)
p
FAL
Ford, ed o - ra, di-te: Lo scor-
Ford, I pray you tell me, Which of

Dr C.
(a Ford)
(to Ford)
Tu.
Thou!
FORD
(accenna al Dr Caius)
(pointing at Dr Caius)
Lui.
He.
No.
No!
FAL
na - - - to chi è?
us is the dupe?
Più Animato
p
ALI.
(mettendo Falstaff con Ford e Cajus)
(placing Falstaff by Ford and Dr C.)
No!
No!
Tut_ti e
All ye
FEN.
(a Ford e Cajus)
(to Ford and Dr Caius)
Lor.
They.
(mettendosi con Ford)
(standing by Ford)
Dr C.
Sì.
Yes.
Noi.
We.
BAR.
(a Ford e Cajus)
(to Ford and Caius)
Voi.
Ye.
FAL
Tut_ti e du_e!
Ye two, surely.
f
p

COME PRIMA ♩: 88
A
tre!
three!
(54)
COME PRIMA ♩: 88
mf
(a Ford, mostrando Nannetta e Fenton)
(to Ford, pointing to Anne and Fenton)
Vol - gi_ti e mi - ra quel - l'an - sie leg -
Look on these chil - dren, and grant them your
dim.
-gia - dre.
par - don!
(a Ford, giungendo le mani)
(to Ford, folding her hands)
NAN.
Per_do_na - te_ci o pa - dre.
Dear_est fa - ther, for_give us!
dim. sempre

FORD
Chi schi-va-re non può la pro-pria
He who can-not a - vert his own de -
dim.
FOR
no - ja L'ac-cet-ti di buon gra - - do.
- feat - ing Should gai-ly take his beat - ing.
dim.
morendo
ALLEGRO MOSSO
FOR
Fac - cia - mo il pa-ren-ta - do E che il
Thus in.................. my arms I press you, Thus for-
ALLEGRO MOSSO
f

ALI.
Ev - vi - - - - - va!
Stu - pen - - - - - dous!
NAN.
Ev - vi - - - - - va!
Stu - pen - - - - - dous!
MEG
Ev - vi - - - - - va!
Stu - pen - - - - - dous!
QUI.
Ev - vi - - - - - va!
Stu - pen - - - - - dous!
FEN.
Ev - vi - - - - - va!
Stu - pen - - - - - dous!
BAR.
Ev - vi - - - - - va!
Stu - pen - - - - - dous!
PIS.
Ev - vi - - - - - va!
Stu - pen - - - - - dous!
FOR
ciel vi dia gio - ia.
give you and bless you!
FAL.
Un
One
ff
FOR
Poi con Sir Fal - staff, tut - ti, andia - mo a
Then with John Fal - staff we'll carouse and
FAL
co - ro e ter - miniam la sce - na.
rous - ing lay, to end our fro - lic!
f

A
Ev-vi - va!
Stupen - dous!
N
Ev-vi - va!
Stupen - dous!
M
Ev-vi - va!
Stupen - dous!
Q
Ev-vi - va!
Stupen - dous!
FEN
Ev-vi - va!
Stupen - dous!
Dr. C
Ev-vi - va!
Stupen - dous!
B
Ev-vi - va!
Stupen - dous!
P
Ev-vi - va!
Stupen - dous!
FOR
ce - - na!
rol - - lick!
FAL
Ev-vi - va!
Stupen - dous!
CORO = CHORUS
Sop.
Ev-vi - va!
Stupen - dous!
Ten.
Ev-vi - va!
Stupen - dous!
Bassi
Ev-vi - va!
Stupen - dous!
(55)
ff
poco allarg.

ALICE
ALL.º BRIOSO ♩=120
QUICKLY
FENTON
FALSTAFF
f pp legg.
Tutto nel mondo è burla. L'uom............ è na-to bur-lone, burlo-ne, bur-
Jesting is man's vo - ca-tion, Wise............ is he who is jolly, is jolly, is
NANNETTA
MEG
D.r CAJUS
FORD
BARDOLFO
PISTOLA
Soprani I.i
Soprani II.i
Tenori
Bassi
FATE, FOLLETTI, DIAVOLI, ECC.
FAIRIES, IMPS, SPIRITS, ETC.
ALL.º BRIOSO ♩=120
p

A
Q
FEN
Tutto nel mon - do è burla. L'uom .... è na - to burlone, burlone, bur-
Jesting is man's vo - cation, Wise........................ is he who is jolly, is jolly, is
FAL
- lone, tut - - to è bur - la, l'uom è na - to burlo - ne, è na - to burlone, burlone, bur-
jolly by vo - ca - tion, Wise is he who is jol - ly, is jolly, is jolly, is jolly, is
N
M
Dr C
FOR
B
P

A
Q
Tut-to nel mon-do è bur-la. L'uom
Jest-ing is man's vo - - ca-tion, Wise
FEN
-lo-ne, tut - - - to è bur - - la, l'uom è na-to bur-lo -
jol-ly, by vo-ca - tion, Wise is he who is jol -
FAL
-lo-ne, tut - - to è bur - - - - la, l'uom è na - - - -
jol-ly, by vo-ca - - - tion, Wise is he
N
M
Dr C
FOR
B
P

A
Tutto nel mon do è
Jesting is man's vo_
pp
Q
.... è na_to bur_lo_ne, bur_lo_ne, bur lo_ne, tut _ _ to è bur _
.... is he who is jol_ly, is jol_ly, is jol_ly by vo_ca _
pp
FEN
_ne, è na_to bur_lo_ne, bur_lo_ne, bur _ lo_ne, tut _ to è burla nel mon _
ly, is he who is jol_ly, is jol_ly, is jol_ly, who is jol _ ly, who is
pp
FAL
_to è na_to bur_lo_ne, bur_lo_ne, bur _ lo_ne, l'uom è na _ _ to bur_
...... is he who is jol_ly, is jol_ly, is jol_ly, Wise is he who is
N
M
Dr.C
FÖR
B
P
pp

A
bur - la. L'uom è na - to bur - lo - ne, bur - lo - ne, bur -
- ca - tion, Wise is he who is jol - ly, is jol - ly, is
Q
- la. L'uom è na - to bur - lo - ne, è na - to bur - lo - ne, bur - lo - ne, bur -
- tion. Wise is he who is jol - ly, is he who is jol - ly, is jol - ly, is
FEN
- do. L'uom è na - to, è na - to bur - lo - ne, bur - lo - ne, bur -
jol - ly, Wise is he is he who is jol - ly, is jol - ly, is
FAL
- lo - ne, è na - to bur - lo - ne, bur - lo - ne, bur -
jol - ly, is he who is jol - ly, is jol - ly, is
N
M
Dr C
FOR
B
P

A
-lo - ne.
jol - ly.
Q
-lo - ne.
jol - ly.
FEN
-lo - ne. Nel suo cer - vel - - -
jol - ly. Rea dy to laugh
FAL
- lo - ne. Nel su - o cer - vel - lo ciur - la sem - - -
jol - ly. And laughs u - pon slight pro - vo - - ca - tion, laughs - u-pon
N
Tut - to nel mon - do è
Jest - ing is man's vo - -
M
Tut - to nel mon - do è bur - la, tut - - - to è bur - -
Jest - ing is man's vo - ca - tion, man's vo - ca - -
Dr. C
FOR
B
Tut - - - - to tut - to nel mon - do è
Jest - - - - ing, jest - ing is man's vo - -
P
Tut - to, tut - to nel mon - do tut - to è bur - - -
Jest - ing is man's vo - ca - tion man's vo - ca - - -
(56)
p stacc.

A
Nel suo cer_vel _ lo ciur _ la sem_ pre,
Ready to laugh upon slight provo _ ca_ _ tion,
Q
Nel suo cer_vel _ lo ciur _ la sem _ _ pre ... la sua ra_
Ready to laugh upon slight provo _ ca _ _ tion ... provo _ ca_ _
FEN
_lo ciur _ _ _ la sem_ pre la sua ra_ _
... on slight pro _ _ vo _ _ ca _ _ _
FAL
_pre, ciur_la sem_pre sem _ _ pre ... la sua ra_gio- _ _ _
slight pro _ vo _ ca _ _ tion ... slight provo_ca _ _ _
N
bur _ la, tut _ to è bur _ la.
_ca _ tion, man's vo _ ca _ _ tion.
M
la.
_tion.
Dr C
Tutto nel mon _ _ do è
Jesting is man's vo_ _
FOR
Tutto nel mon _ do è bur _ la, tut _ _ _ to è bur_ _
Jesting is man's vo _ _ ca _ tion; man's vo_ca _ _
B
bur _ la. L'uom è na _ to bur_lo _ _ _
_ca _ tion. Wise is he who is jol _ _ _
P
_la. L'uom è na _ to bur_lo _ ne ... na _ to bur_lo _ _ _ _
_tion, Wise is he who is jol _ _ ly ... who is jol _ _ _

A
sem - pre la sua ragio -
Proof against dull me - lan-cho -
Q
-gion, sem - pre, sem - pre, la sua ragio -
-tion, Proof a - gainst dull me - lan - cho -
FEN
-gion, sem - pre, sem - pre, la sua ragio -
-tion, Proof a - gainst dull me - lan - cho -
FAL
-ne, sem - pre, sem - pre, sem-pre, sem-pre la sua ra -
-tion, Proof proof proof against dull me-lan -
N
L'uom è na - to bur-lo -
Wise is he is he who is jol -
M
L'uom è na - to, è na-to bur-lo -
Wise is he, is he, is he who is jol -
Dr C
bur-la. L'uom è na - to, è na-to bur-lo -
-ca - tion, Wise is he is he, is he who is jol -
FOR
-la, l'uom è na - to, na - to, l'uom è na-to bur-lo -
-tion, Wise is he he wise is he who is jol -
B
-ne l'uom è na - to, è na-to bur-lo -
-ly Wise is he, is he, is he who is jol -
P
-ne, l'uom è na - to, na - to, l'uom è na-to bur-lo -
-ly, who is jol - ly, jol - ly, Wise is he who is jol -
Tut - to nel mon - do, nel mon - do è bur -
Jest - ing is man's is man's vo - ca -
Tut - to, tut - to, nel mon-do è bur -
Jest - ing, jest - ing is man's vo - ca -
Tut - to, tut - to, nel mon-do è bur -
Jest - ing, jest - ing is man's vo - ca -
L'uom è na - to, na - to, l'uom è na-to bur-lo -
Wise is he he wise is he who is jol -

A
ne.
ly.
Q
ne, la sua ra-gior
ly me-lan-cho - ly.
FEN
ne.
ly.
FAL
gion.
cho-ly.
N
ne.
ly.
L'uom è na-to bur-lo
Wise is he who is jol
M
ne.
ly.
L'uom è na-to bur-
Wise is he who is
Dr. C
ne.
ly.
FOR
ne.
ly.
B
ne.
ly.
P
ne.
ly.
la.
tion.
la.
tion.
la.
tion.
ne.
ly.
(57)

A
Q
pp e staccato
Tut_to nel mon _ do è bur_la, nel mon _ do è bur
Jest_ing is man's vo_ca_tion, is man s vo _ ca
FEN
pp
L'uom è na_to bur_lo _ ne, è na_to bur_lo_ne, bur_lo
Wise is he who is jol _ ly, he who is jol_ly, is jol
FAL
pp
Tut_to nel mon _ do è bur_la, è bur
Jest_ing is man's vo _ _ ca_tion, vo _ ca
N
_ ne
_ ly
M
_ lo _ ne.
jol _ ly.
D.r C
FOR
B
P
pp e staccato

pp e staccato
A
Tut_to nel mon_do è bur_la, nel mon_do è bur_
Jest_ing is man's vo_ca_tion, is man's vo_ca_
Q
_la, l'uom è na_to bur_lo_ne, è na_to bur_lo_ne, bur_lo_
_tion. Wise is he who is jol_ly, he who is jol_ly, is jol_
FEN
_ne, tut_to nel mon_do è bur_la, è bur_
_ly, jest_ing is man's vo_ca_tion, vo_ca_
FAL
_la.
_tion.
N
M
Dr C
FOR
B
P

A
FEN
FAL
N
M
D.r C
FOR
B
P
(58)
mf
pp
la.
tion.
ne,
ly:
tut-to nel mon - do è
Jest-ing is man's vo -
la
tion.
tut - - to è bur -
man's vo-ca -
Tut-ti gab-ba - ti, tut-ti gab - ba - ti, tut
Each man makes fun, yes, each man makes fun of his neigh
Tut-ti gab-ba - ti, tut-ti gab - ba - ti, tut
Each man makes fun, yes, each man makes fun of his neigh
Tut-ti gab-ba - ti, tut-ti gab - ba - ti, tut
Each man makes fun, yes, each man makes fun of his neigh
Tut - ti gab-
Each - man makes
Tut-ti, tut-ti gab-
makes fun of his
Tut-ti, tut-ti gab-ba
makes fun of his neigh
Tut - ti gab-
Each - man makes
Tut - ti gab-
Each - man makes
Tut - ti gab-
Each - man makes
Tut - ti gab-
Each - man makes

A
tut_to nel mon - do è
Jest_ing is man's vo -
Q
bur - la,
- ca - tion,
FEN
- la
- tion,
tut - to è bur -
man's vo_ca -
FAL
N
- ti, tut_ti gab_ba - ti, tut_ti gab - ba - ti, tut -
- bour. E_ve_ry man, yes, e_ve_ry man makes fun, makes
M
ti, tut_ti gab_ba - ti, tut_ti gab - ba - ti, tut -
- bour. E_ve_ry man, yes, e_ve_ry man makes fun, makes
D.r C
- ti, tut_ti gab_ba - ti, tut_ti gab - ba - ti, tut -
- bour, E_ve_ry man, yes, e_ve_ry man makes fun, makes
FOR
- ba_ti, tut - ti gab -
fun, fun of his
B
- ba_ti, tut_ti, tut_ti gab -
neighbour, makes fun of his
P
_ti tut_ti, tut_ti gab_ba -
bour, makes fun of his neigh
- ba_ti, tut - ti gab -
fun, Each man makes
- ba_ti, tut - ti gab -
fun, Each man makes
- ba_ti, tut - ti gab -
fun, Each man makes
- ba_ti, tut - ti gab -
fun, Each man makes

A
bur - la, tut - to è bur - la,
- ca - tion, man's vo - ca - tion!
Q
tut - ti gab - ba - - -
E - ve - ry man makes
FEN
- la, tut - ti gab - ba - - ti, tut - ti gab -
- tion. E - ve - ry man makes fun, fun of his
FAL
Tut - ti gab - ba - ti, tut - ti gab - ba - ti! Ir - ri - de l'un l'al - tro ogni mor -
E - ve - ry man makes fun, makes fun of his neighbour, The mer - ry world a -
N
- ti!
fun!
M
- ti!
fun!
Dr C
- ti!
fun!
FOR
- ba - ti!
neighbour!
B
- ba - ti!
neighbour!
P
- ti!
- bour!
- ba - ti!
fun!
- ba - ti!
fun!
- ba - ti!
fun!
- ba - ti!
fun!

A
tut-ti gab-ba - - ti! Ma ri-de ben, ri-de ben chi
E-ve-ry man makes fun! So-lace for pain, for pain and for
Q
ti! Ma ri-de ben, ri-de ben chi
fun So-lace for pain, for pain and for
FEN
ba - ti! Ma ri-de ben chi
neigh - bour! So-lace for pain and for
FAL
tal, ir-ri-de l'un l'al - tro ogni mor-tal, Ma ri-de ben, ri-de ben chi
round, the mer-ry, mer-ry world a-round; So-lace for pain and for la -
N
M
Dr C
FOR
B
P

A
ri - de la ri-sa - ta fi-nal.
la - bour In gay laugh - ter is found!
Q
ri - de la ri-sa - ta fi-nal.
la - bour In gay laugh - ter is found!
FEN
ri - de la ri-sa - ta fi-nal.
la - bour In gay laugh - ter is found!
FAL
ri - de la ri-sa - ta fi-nal.
- bour In gay laugh - ter is found!
N
pp
Ma ri-de ben, ri-de ben, ri-de ben chi
So-lace for pain and la-bour, for pain and
M
pp
Ma ri-de ben, ri-de ben, ri-de ben chi
So-lace for pain and la-bour, for pain and
D.C
pp
Tut-to nel mon - do è
Jesting is man's vo -
FOR
B
pp
tut-ti, tut-ti gab - ba - ti, gab-ba - ti!
makes fun of his neigh-bour, his neigh - bour!
P
pp
tut-ti, tut-ti gab - ba - ti, tut-ti gab-
makes fun of his neigh-bour, fun of his
pp
tut-ti gab-
fun of his
pp
tut-ti gab-
fun of his
pp
tut-ti, tut-ti gab - ba - ti, gab-ba - ti!
makes fun of his neigh-bour, his neigh - bour!
pp
tut-ti, tut-ti gab - ba - ti, tut-ti gab-
makes fun of his neigh-bour, fun of his
(59)
pp

A
Ma ri - de ben, ri - de ben, ri - de ben chi ri - de
So_lace for pain and for la_bour, for pain and la - bour.
Q
Ma ri - de ben, ri - de ben, ri - de ben chi ri - de
So_lace for pain and for la_bour, for pain and la - bour.
FEN
Tut_to nel mon do è bur_la,
Jesting is man's vo - cation.
FAL
Ir ri -
The mer -
N
ri - de
la_bour...
ma ri - de ben, ri - de ben chi
so_lace for pain, for pain and for
M
ri - de
la_bour...
ma ri - de ben, ri - de ben chi
so_lace for pain, for pain and for
D.C
bur_la.
_cation.
FOR
B
gabba - ti!
his neigh - bour!
P
- ba - ti, tut - ti gab - ba - ti!
neigh_bour! fun of his neighbour!
- ba - ti, tut - ti gab - ba - ti!
neigh_bour! fun of his neighbour!
- ba - ti, tut - ti gab - ba - ti!
neigh_bour! fun of his neighbour!
gabba - ti!
his neigh - bour!
- ba - ti, tut - ti gab - ba - ti!
neigh_bour! fun of his neighbour!

A
ma ri - de ben
so - lace for pain
Q
ma ri - de ben chi ri - de
so - lace for pain and for la - bour.
FEN
ma ri - de ben chi ri - de
so - lace for pain and for la - bour.
FAL
- de ir - ri - de l'un l'al - tro o - gni mor - tal,
- ry, mer - ry, mer - ry world a - round!
N
ri - de....
la - bour....
M
ri - de....
la - bour....
tut - to nel mon - do è
Jesting is man's vo -
Dr C
Ma ri - de
So - lace for
FOR
Ma ri - de ben, ri - de ben ri - de ben chi
So - lace for pain and for la - bour, for pain and
B
P

A
Q
FEN
FAL
N
M
D.r C
FOR
B
P
..... chi ri - de
..... and la - bour
ma ri - de ben, ri - de ben chi ri - de
so - lace for pain, for pain and la - bour
ma ri - de ben chi
so - lace for pain and
ma ri - de ben, ri - de ben, ri - de ben chi
so - lace for pain and for la - bour for pain and
bur - la, l'uom .... l'uom è na - to bur - lo - ne, bur - lo - ne, bur -
- ca - tion wise .... is he who is jol - ly, is jol - ly, is
ben, ma ri - de ben, ri - de ben chi ri - de .... la ri - sa - ta fi -
pain, so - lace for pain, for pain and for la - bour .... In gay laughter is
ri - de la ri - sa - ta fi - nal,
la - bour In gay laugh - ter is found!

A
la ri-sa-ta fi-nal.
In gay laugh-ter is found!
Q
la ri-sa-ta fi-nal. ah! ah!
In gay laugh-ter is found! Ha! Ha!
FEN
la ri-sa-ta fi-nal.
In gay laugh-ter is found!
FAL
ri-de la ri-sa-ta fi-nal.
la-bour In gay laugh-ter is found!
N
ri-de ma ri-de ben chi ri-
la-bour, So-lace for pain and for la-
M
-lo-ne ah!
jol-ly! Ha!
Dr. C
-nal............ Tut-ti gab-ba-
found............ E-ve-ry man makes
FOR
ma ri-de
So-lace for
B
tut-
All
P
tut-
All
tut-
All
tut-
All

A
ma ri-de ben chi ri - - de
So-lace for pain and la - - bour
Q
ah! ah! ah! ah!
ha! ha! ha! ha!
FEN
Tut-ti gab-ba - - ti!
E-ve-ry man makes fun!
FAL
N
-de la ri-sa - ta fi -
-bour In gay laugh - ter is
M
ah! ah! ah! ah!
ha! ha! ha! ha!
Dr. C
-ti, tut-ti gab-ba - - - -
fun, E-ve-ry man makes
FOR
ben ma ri-de ben ri-de ben chi
pain, So-lace for pain for pain and
B
-ti gab - ba - - - - -
men make fun
P
-ti gab - ba - - - - -
men make fun
-ti gab - ba - - - - -
men make fun
-ti gab - ba - - - - -
men make fun

A
la ri-sa - ta fi - nal, tut-to nel mon -
In gay laugh - ter is found, Jesting is man's
Q
ah! ah! Tut-to nel mon-do è bur -
ha! ha! Jesting is man's vo-ca -
FEN
Tut-ti gab-ba - ti! Tut - to nel mon-do è
E-ve-ry man makes fun! Jest - ing is man's vo -
FAL
Tut-to nel mon - do è
Jesting is man's vo -
N
nal.
found!
M
ah! ah! ah!
ha! ha! ha!
Dr. C
ti!
fun!
FOR
ri - de la ri-sa-ta fi-nal.
la - bour In gay laughter is found!
B
ti!
P
ti!
ti!
ti!

A
do è bur - la,
vo - ca - tion.
Q
la, tut - to nel mon - do è bur - la, l'uom
tion Jesting is man's vo - ca - tion, jest
FEN
bur - la, tut - to, tut - to nel mon - do è bur - la.
ca - tion, Jesting is man's is man's vo - ca - tion!
FAL
bur - la tut - to, tut - to nel mon - do è bur - la, è bur - la.
ca - tion, Jesting is man's is man's vo - ca - tion, vo - ca - tion.
N
Tut - to nel mon -
Jesting is man's vo -
M
Tut - to nel mon - do è bur -
Jesting is man's vo -
Dr. C
Tut - to nel mon - do è
Jest - ing is man's vo -
FOR
Tut - to nel mon - do è
Jesting is man's vo -
B
P
L'uom
Wise

A
Q
FEN
FAL
N
M
Dr C
FOR
B
P
pp
tut - ti gab - ba -
e - ve - ry man's vo -
.... l'uom è na - to bur - lo - - - - - ne; tut - - -
- ing is man's vo - ca - - - tion, Each man makes
L'uom è na - to bur - lo - ne
Wise is he who is jol - - ly!
L'uom è na - to bur - lo - - ne
Wise is he who is jol - ly!
do è bur - la,
- ca - - - - - tion, vo - ca - tion!
la, tut - to nel mon - do è bur - la,
- tion, jest - ing is man's vo - ca - tion!
bur - la tut - to, tut - to nel mon - do è bur - la,
- ca - tion jest - ing, jest - ing is man's vo - ca - tion!
bur - la tut - to, tut - to nel mon - do è bur - la,
- ca - tion jest - ing, jest - ing is man's vo - ca - tion!
tut - to, tut - to nel mon - do è bur - la,
jest - ing, jest - ing is man's vo - ca - tion!
tut - to, tut - to nel mon - do è bur - la,
jest - ing, jest - ing is man's vo - ca - tion!
tut - to nel mon - do è bur - la,
jest - ing is man's vo - ca - tion!
.... l'uom è na - to bur - lo - - - ne,
.... is the man who is jol - - ly!
tut - to, tut - to nel mon - do è bur - la,
jest - ing, jest - ing is man's vo - ca - tion!
tut - to, tut - to nel mon - do è bur - la,
jest - ing, jest - ing is man's vo - ca - tion!
(60)
ff
pp

A
- - - - - - - ti, tut - ti gab - ba - ti, gab - ba - ti, gab -
-ca - - - - - - - tion. E - ve - ry man makes fun of his
Q
-ti tut - - - - - - - ti gab - ba - - -
fun, fun - - - - - - - of his neigh - - -
FEN
FAL
N
pp
tut - - - - - - - - - - - - - - to
Jest - - - - - - - - - - - - - - - -
M
pp
tut - ti gab - ba - - - - ti tut - - - ti gab -
E - ve - ry man makes fun, fun - - - - of his
Dr C
pp
tut - to nel mon - do è
Jest - ing is man's vo - - -
FOR
B
P

A
-ba - ti! tut - - - - -
neighbour! E - ve - ry man makes
Q
-ti! tut - - - - ti.........
-bour! Jest - - - - ing
FEN
tut - ti gab - ba - ti, gab - ba - ti, gab - ba - ti!
E - ve - ry man makes fun of his neighbour!
FAL
N
.... tut - to nel mon - do è bur - la,
-ing, jest - ing is man's vo - - - ca - tion!
M
-ba - ti, tut ti gab ba - - - - - - - - -
neigh - bour, E - ve - ry man
Dr. C
bur - la, è bur - la.................. tut - to, tut - to,
-ca - tion, vo - ca - - - - - tion, vo - ca - tion!
FOR
tut - ti gab - ba - ti, gab - ba - ti, gab -
E - ve - ry man makes fun of his
B
P

A
Q
FEN
FAL
N
M
Dr C
FOR
B
P
-ti tut-ti gab-ba-ti...... tut-to nel mon- - -
fun, fun of his neigh-bour...... Jest-ing is man's vo- -
...... tut-ti gab-ba-ti, gab-ba- -ti, tut-to nel mon-do è bur- -
...... jest-ing is man's vo-ca- -tion, Jest-ing is man's vo-ca- -
Ir-ri-de l'un l'al-tro o-gni mor-tal, tut- - -to nel mon-do è
Yes, each man makes fun of his neigh-bour, Jest- - -ing is man's vo-
tut-to nel mon- -do è
Jest-ing is man's vo-
tut-ti gab-ba- - - -ti!
man's vo-ca- - - -tion
-ti tut-ti, tut-ti gab-ba- -ti!
makes fun makes fun of his neigh- -bour!
tut-to è bur- -la,
man's vo-ca- -tion!
-ba-ti! Ir-ri-de l'un l'al-tro o-gni mor-tal
neigh-bour the mer-ry world a-round!
tut-to nel mon- -do è
Jest-ing is man's vo-

A
- - - - - - - - - - do è bur - la,
-ca - - - - - - - tion, vo - ca - tion!
Q
-la, tut-to nel mon - do è bur - la,
-tion jest ing is man's vo - ca - tion!
FEN
bur - la, tut-to nel mon - do è bur - - la,
-ca - tion, jest-ing is man's vo - ca - - tion,
FAL
bur - la, tut-to nel mon - do è bur - - la,
-ca - tion, jest-ing is man's vo - ca - - tion!
N
Tut-to nel mon - - - -
Jest-ing is man's vo -
M
Tut-to nel mon - do e bur -
Jest-ing is man's vo -
Dr C
tut - - - to nel mon - do è
Jest - - -ing is man's vo -
FOR
tut-to nel mon - do è
Jest-ing is man's vo -
B
tut-to nel mon - do è bur - - la,
jest-ing is man's vo - ca - - tion!
P
bur - la tut-to nel mon - do è bur - - la,
-ca - tion, jest-ing is man's vo - ca - - tion!
tut-to nel mon - do è
Jest-ing is man's vo -

A
tut - - to è bur - - la, tut - - - -
man's.................. vo - ca - - tion. Each man
Q
tut - to nel mon - do è bur - la, tut - ti gab -
Jest - ing is man's vo - - ca - tion, man's vo -
FEN
tut - to, tut - to nel mon - do è bur - la,
yes, jest - ing is man's vo - - - ca - tion.
FAL
tut - ti gab - ba - - - -
Each man makes fun
N
- - - - - - - - do è bur - la.
-ca - - - - - - tion, vo - ca - tion,
M
-la, tut - to nel mon - do è bur - la,
-ca - tion, jest - ing is man's vo - - ca - tion.
DrC
bur - la, tut - to nel mon - do è bur - - la.
-ca - tion, jest - ing is man's vo - ca - - tion!
FOR
bur - la, tut - to nel mon - do è bur - - la,
-ca - tion, jest - ing is man's vo - ca - - tion!
B
tut - to, tut - to nel mon - do è bur - la,
yes, jest - ing is man's vo - - ca - tion!
P
tut - to nel mon - do è bur - - la,
jest - ing is man's vo - ca - - tion!
tut - to nel mon - do è bur - la,
jest - ing is man's vo - - ca - tion!
tut - to nel mon - do è bur - - la,
jest - ing is man's vo - ca - - tion!
bur - la, tut - to nel mon - do è bur - - la,
-ca - tion, jest - ing is man's vo - ca - - tion!
(61)

A
-ti tut-ti gab-ba- -ti!
makes fun of his neigh- -bour!
Q
-ba- -ti!
-ca- -tion!
FEN
ir- -ri- -de l'un l'al-tro,
is man's......... vo-ca-tion!
FAL
-ti, gab-ba- -ti!
of his neigh- -bour!
N
tut-
Ev'-ry
M
tut-ti gab-
jests at his
Dr C
FOR
tut-ti gab-ba-
E-ve-ry man jests
B
P

A
Ir - ri - - - de l'un
The mer - - - - ry,
Q
Ir - ri - - - de l'un l'al -
The mer - - - - ry world...........
FEN
FAL
Tut - ti gab - ba - - - -
Each man makes fun..............
N
- ti tut - ti gab - ba - - - ti!
man jests at his neigh - - - bour!
M
- ba - - - - - - ti!
neigh - - - - - bour!
Dr. C
Ir - ri - de l'un l'al - tro
Makes fun........ of his neighbour!
FOR
- ti gab - ba - - - - - ti!
at his neigh - - - - bour!
B
P

A
lal - - - tro o - - gni mor tal,
mer - - - ry world.................. a - round!
Q
- tro lun lal - - tro o - gni mor - tal,
.... the mer - - ry world a - round!
FEN
ma ri - de ben chi
So - lace for pain and
FAL
- - - - - - ti
of his neigh - - - - - bour!
ma ri - de ben ri - de ben... chi
So - lace for pain....... and... for
N
ah! ah! ah!
ha! ha! ha!
M
ah! ah! ah!
ha! ha! ha!
Dr C
ma ri - de ben chi
So - lace for pain and
FOR
ma ri - de ben, ri - de ben... chi
So - lace for pain....... and... for
B
ma ri - de ben chi
So - lace for pain and
P
ma ri - de ben, ri - de ben... chi
So - lace for pain....... and... for
ah! ah! ah!
ha! ha! ha!
ah! ah! ah!
ha! ha! ha!
ma ri - de ben chi
So - lace for pain and
ma ri - de ben, ri - de ben... chi
So - lace for pain....... and... for
(62)

A
ma......... ri - de ben.... chi ri - de ah! ah! ah!
So-lace for pain........ and.... for la-bour ha! ha! ha!
Q
ma.......... ri - de ben.... chi ri - de ah! ah! ah!
So-lace for pain......... and... for la-bour ha! ha! ha!
FEN
ri - de la...... ri - sa - ta fi - nal,................... ma ri - de ben chi
la - bour In..... gay laughter is found,................... So-lace for pain and
FAL
ri - de la ri - sa - ta...... fi - nal, ma ri - de ben, ri - de ben..... chi
la - bour In gay laugh - ter....... is found, So-lace for pain........... and.... for
N
ah!.. ah! ah! ah!
ha!.. ha! ha! ha!
M
ah!.......... la....... ri - sa - ta...... fi - nal, ah! ah! ah!
ha!.......... In....... gay laugh - ter...... is found, ha! ha! ha!
Dr C
ri - de la...... ri - sa - ta fi - nal,..................... ma ri - de ben chi
la - bour In....... gay laughter is found,..................... So-lace for pain and
FOR
ri - de la ri - sa - ta fi - nal, ma ri - de ben, ri - de ben..... chi
la - bour In gay laugh - ter is found, So-lace for pain.......... and..... for
B
ri - de la....... ri - sa - ta fi - nal,................... ma ri - de ben chi
la - bour In...... gay laughter is found,.................. So-lace for pain and
P
ri - de la ri - sa - ta fi - nal, ma ri - de ben, ri - de ben..... chi
la - bour In gay laugh - ter is found, So-lace for pain......... and..... for
ah!.. ah! ah! ah!
ha!.. ha! ha! ha!
ma ri - de ben..... chi ri - de ah! ah! ah!
So-lace for pain..... and la - bour, ha! ha! ha!
ri - de la....... ri - sa - ta fi - nal,.................... ma ri - de ben chi
la - bour, In...... gay laughter is found,.................... So-lace for pain and
ri - de la ri - sa - ta fi - nal, ma ri - de ben, ri - de ben..... chi
la - bour In gay laugh - ter is found, So-lace for pain.......... and..... for

A
ah! ma ri - de ben, ri - de ben..... chi
ha! So - lace for pain.......... and..... for
Q
ma ri - de ben.... chi ri - - - - - de, ma ri - de ben, ri - de ben...... chi
So - lace for pain and for la - - - - - - bour So - lace for pain.......... and..... for
FEN
ri - de la....... ri - sa - ta fi - nal, ma ri - de ben, ri - de ben...... chi
la - bour In....... gay laughter is found So - lace for pain.......... and..... for
FAL
ri - de la ri - sa - ta...... fi - nal, ma ri - de ben, ri - de ben...... chi
la - bour, In gay laugh - ter....... is found! So - lace for pain.......... and..... for
N
ah! la..... ri - sa - ta..... fi - nal,
ha! In..... gay laugh - ter..... is found!
M
ah! la....... ri - sa - ta...... fi - nal,
ha! In....... gay laugh - ter...... is found!
Dr C
ri - de la....... ri - sa - ta fi - nal,
la - bour In....... gay laughter is found
FOR
ri - de la ri - sa - ta fi - nal,
la - bour, In gay laugh - ter is found!
B
ri - de la....... ri - sa - ta fi - nal,
la - bour In....... gay laughter is found
P
ri - de la ri - sa - ta fi - nal,
la - bour, In gay laugh - ter is found!
ah!
ha!
ma ri - de ben..... chi ri - - - - - de,
So - lace for pain..... and la - - - - - bour!
ri - de la....... ri - sa - ta fi - nal,
la - bour In....... gay laughter is found
ri - de la ri - sa - ta fi - nal,
la - bour, In gay laugh - ter is found!
mf

A
Q
FEN
FAL
N
M
Dr. C
FOR
B
P
cres.
mf
f
ri - de, ma ri - de ben, ri - de ben.... chi ri - de la...... ri - sa - ta...... fi -
la - bour, So - lace for pain.......... and.... for la - bour, In...... gay laugh - ter...... is
ma ri - de ben, ri - de ben.... chi ri - de la...... ri - sa - ta...... fi -
So - lace for pain.......... and.... for la - bour, In...... gay laugh - ter...... is
la...... ri - sa - ta...... fi -
In...... gay laugh - ter...... is

tronca
A
_nal.......... ah! ah! ah! ah!
found!.......... ha! ha! ha! ha!
Q
_nal.......... ah! ah! ah! ah!
found!.......... ha! ha! ha! ha!
FEN
_nal.......... ah! ah! ah! ah!
found!.......... ha! ha! ha! ha!
FAL
_nal, ri_de ben.... chi ri _ de la..... ri_sa_ta fi _ nal.
found! In gay laugh_ter, in.......... gay... laugh_ter is found!
tronca
N
_nal.......... ah! ah! ah! ah!
found!.......... ha! ha! ha! ha!
M
_nal.......... ah! ah! ah! ah!
found!.......... ha! ha! ha! ha!
Dr. C
_nal.......... ah! ah! ah! ah!
found!.......... ha! ha! ha! ha!
FOR
_nal, ri_de ben.... chi ri _ de la..... ri_sa_ta fi _ nal.
found! In gay laugh_ter in.......... gay... laugh_ter is found!
B
_nal.......... ah! ah! ah! ah!
found!.......... ha! ha! ha! ha!
P
_nal, ri_de ben.... chi ri _ de la.... ri_sa_ta fi _ nal.
found! In gay laugh_ter in.......... gay... laugh_ter is found!
tronca
_nal.......... ah! ah! ah! ah!
found!.......... ha! ha! ha! ha!
_nal.......... ah! ah! ah! ah!
found!.......... ha! ha! ha! ha!
_nal.......... ah! ah! ah! ah!
found!.......... ha! ha! ha! ha!
_nal, ri_de ben.... chi ri _ de la.... ri_sa_ta fi _ nal.
found! In gay laugh_ter in.......... gay... laugh_ter is found!
(63)

UN PO' PIÙ LENTO
Iº TEMPO
A
Q
FEN
FAL
N
M
Dr. C
FOR
B
P
ah! ah! ah!
ha! ha! ha!
Tut - ti gab - ba - ti! tut - ti gab-
Men are but jest - ers! men are but
Tut - ti gab - ba - ti!
Men are but jesters!
tut - ti gab - ba - ti!
men are but jest - ers!
tut - ti gab - ba - ti! tut - ti gab-
Men are but jest - ers! men are but
tut - ti gab - ba - ti!
Men are but jest - ers!
cresc.

A
ah! ah! ah! ah! ah! ah!.................... tut_ti gab_ba
ha! ha! ha! ha! ha! ha!.................... men are but jest
Q
ah! ah! ah! ah! ah! ah!.................... tut_ti gab_ba
ha! ha! ha! ha! ha! ha!.................... men are but jest
FEN
_ba_ti, tut_ti gab_ba_ti, tut_ti gab_ba_ti,
jest_ers, men are but jest_ers, men are but jest_ers
FAL
tut_ti gab_ba_ti, tut_ti gab_ba_ti,
men are but jest_ers, men are but jest_ers
N
ah! ah! ah! ah! ah! ah!.................... tut_ti gab_ba
ha! ha! ha! ha! ha! ha!.................... men are but jest
M
ah! ah! ah! ah! ah! ah!.................... tut_ti gab_ba
ha! ha! ha! ha! ha! ha!.................... men are but jest
Dr C
_ba_ti, tut_ti gab_ba_ti, tut_ti gab_ba_ti
jest_ers, men are but jest_ers, men are but jest_ers
FOR
tut_ti gab_ba_ti, tut_ti gab_ba_ti
men are but jest_ers, men are but jest_ers
B
_ba_ti, tut_ti gab_ba_ti, tut_ti gab_ba_ti
jest_ers, men are but jest_ers, men are but jest_ers
P
tut_ti gab_ba_ti, tut_ti gab_ba_ti
men are but jest_ers, men are but jest_ers
tut_ti gab_ba_ti, gab_ba
men are but jest_ers, but jest
tut_ti gab_ba_ti, gab_ba
men are but jest_ers, but jest

A
-ti, ah!
-ers ha!
Q
-ti, tut-ti gab-ba-ti, gab-ba-ti, gab-ba-ti, tut-ti gab-ba-ti, tut-ti gab-
-ers men are but jest-ers, but jest-ers, but jest-ers, men are but jest-ers, men are but
FEN
tut-ti gab-ba-ti, gab-ba-ti, gab-ba-ti, tut-ti gab-ba-ti, tut-ti gab-
men are but jest-ers, but jest-ers, but jest-ers, men are but jest-ers, men are but
FAL
ah! ah! ah! ah! tut-ti tut-ti gab-ba-ti, gab-ba-ti, gab-
ha! ha! ha! men are but jest-ers, but jest-ers, but jest-ers but
N
-ti, ah!
-ers ha!
M
-ti, tut-ti gab-ba-ti, gab-ba-ti, gab-ba-ti, tut-ti gab-ba-ti, tut-ti gab-
-ers men are but jest-ers, but jest-ers, but jest-ers men are but jest-ers, men are but
Dr C
tut-ti gab-ba-ti, gab-ba-ti, gab-ba-ti, tut-ti gab-ba-ti, tut-ti gab-
men are but jest-ers, but jest-ers, but jest-ers men are but jest-ers, men are but
FOR
ah! ah! ah! ah! tut-ti tut-ti gab-ba-ti, gab-ba-ti, gab-
ha! ha! ha! men are but jest-ers, bu jest-ers, but jest-ers but
B
tut-ti gab-ba-ti, gab-ba-ti, gab-ba-ti, tut-ti gab-ba-ti, tut-ti gab-
men are but jest-ers, but jest-ers, but jest-ers men are but jest-ers, men are but
P
ah! ah! ah! ah! tut-ti tut-ti gab-ba-ti, gab-ba-ti, gab-
ha! ha! ha! men are but jest-ers, but jest-ers, but jest-ers but
-ti, tut-ti gab-ba-ti, gab-ba-ti, gab-ba-ti, tut-ti gab-ba-ti, tut-ti gab-
-ers men are but jest-ers, but jest-ers, but jest-ers men are but jest-ers, jest-ers but
-ti, tut-ti gab-ba-ti, gab-ba-ti, gab-ba-ti, tut-ti gab-ba-ti, tut-ti gab-
-ers men are but jest-ers, but jest-ers, but jest-ers men are but jest-ers, jest-ers but
tut-ti gab-ba-ti, gab-ba-ti, gab-ba-ti, tut-ti gab-ba-ti, tut-ti gab-
men are but jest-ers, but jest-ers, but jest-ers men are but jest-ers, jest-ers, but
ah! ah! ah! ah! tut-ti tut-ti gab-ba-ti, gab-ba-ti, gab-
ha! ha! ha! men are but jest-ers, but jest-ers, but jest-ers, but

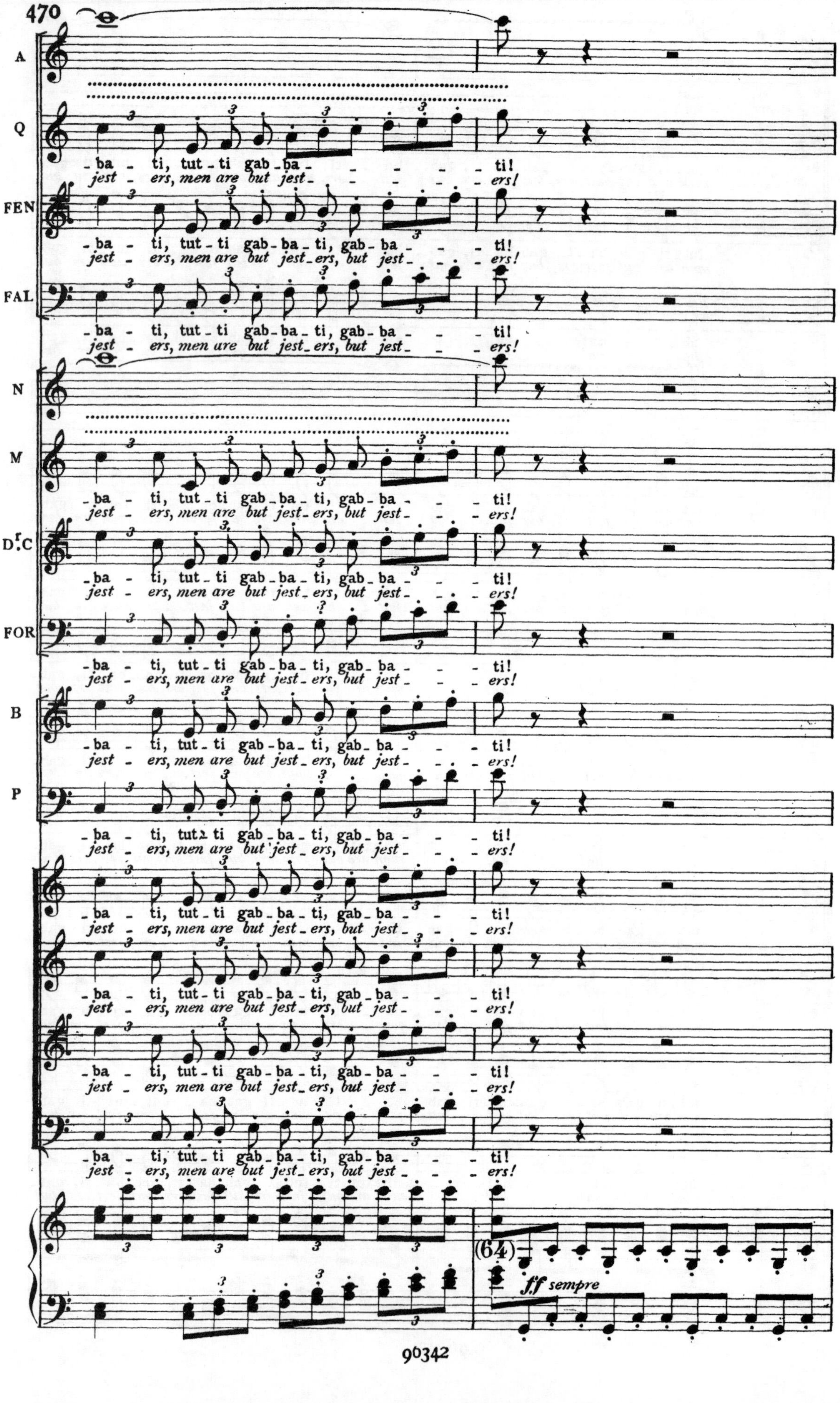
470
A
Q
ba - ti, tut - ti gab - ba - - - - - - ti!
jest - ers, men are but jest - - - - - - ers!
FEN
ba - ti, tut - ti gab - ba - ti, gab - ba - - - ti!
jest - ers, men are but jest - ers, but jest - - - ers!
FAL
ba - ti, tut - ti gab - ba - ti, gab - ba - - - ti!
jest - ers, men are but jest - ers, but jest - - - ers!
N
M
ba - ti, tut - ti gab - ba - ti, gab - ba - - - ti!
jest - ers, men are but jest - ers, but jest - - - ers!
Dr. C
ba - ti, tut - ti gab - ba - ti, gab - ba - - - ti!
jest - ers, men are but jest - ers, but jest - - - ers!
FOR
ba - ti, tut - ti gab - ba - ti, gab - ba - - - ti!
jest - ers, men are but jest - ers, but jest - - - ers!
B
ba - ti, tut - ti gab - ba - ti, gab - ba - - - ti!
jest - ers, men are but jest - ers, but jest - - - ers!
P
ba - ti, tut - ti gab - ba - ti, gab - ba - - - ti!
jest - ers, men are but jest - ers, but jest - - - ers!
ba - ti, tut - ti gab - ba - ti, gab - ba - - - ti!
jest - ers, men are but jest - ers, but jest - - - ers!
ba - ti, tut - ti gab - ba - ti, gab - ba - - - ti!
jest - ers, men are but jest - ers, but jest - - - ers!
ba - ti, tut - ti gab - ba - ti, gab - ba - - - ti!
jest - ers, men are but jest - ers, but jest - - - ers!
ba - ti, tut - ti gab - ba - ti, gab - ba - - - ti!
jest - ers, men are but jest - ers, but jest - - - ers!
(64)
ff sempre

(cala il sipario)
(Curtain falls)

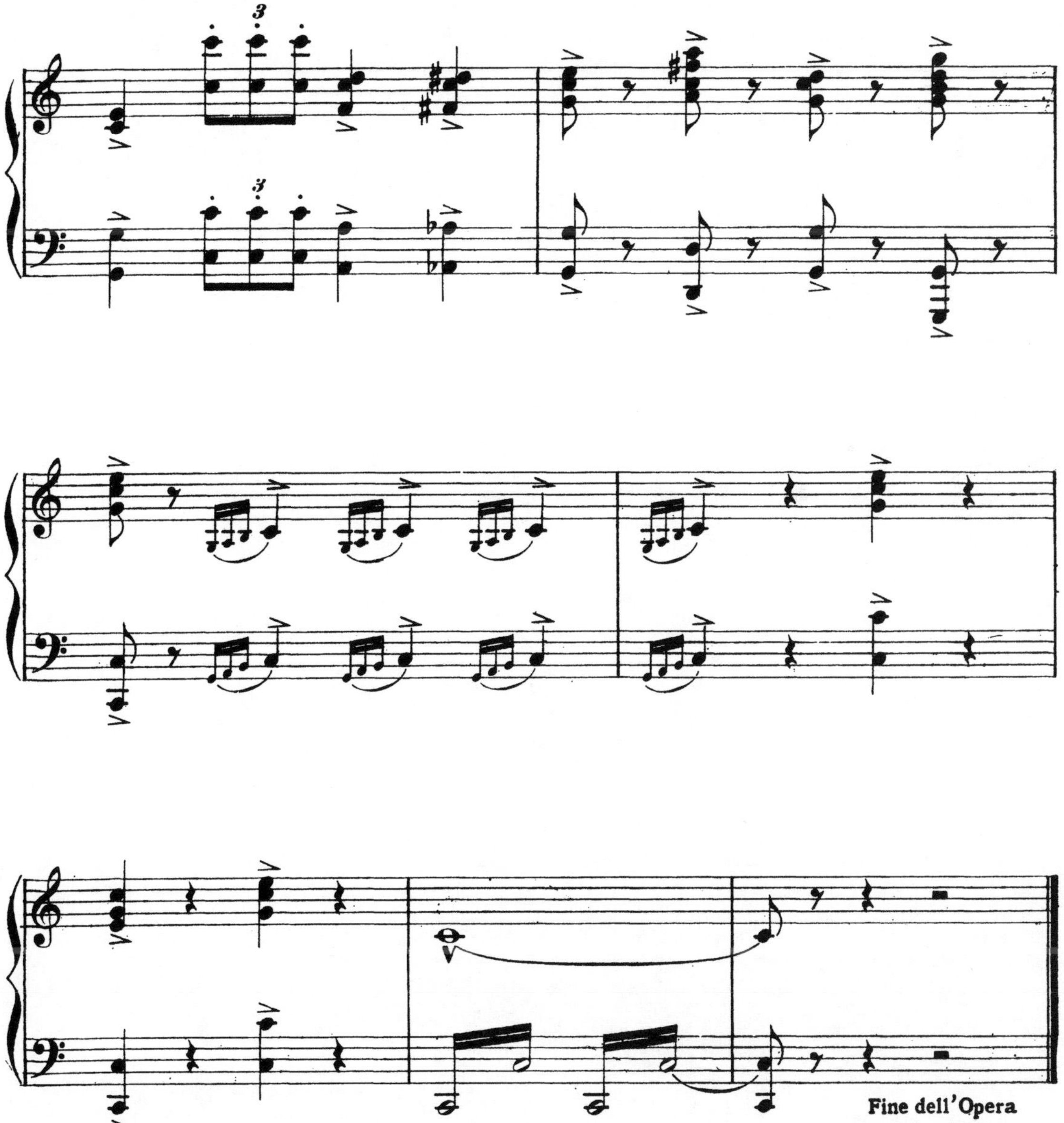

Fine dell'Opera
End of the Opera

RICORDI VOCAL SCORES

(Opere, Oratori, Musica sacra)

BELLINI
- **I Capuleti e i Montecchi** (42043/05; 138472, ed. critica)
- **Norma** (41684/05; 41684/04 ril. in tela e oro)
- **Il pirata** (108189/05)
- **I Puritani** (41685/05; 41685/04 ril. in tela e oro)
- **La sonnambula** (41686/05; 41686/04 ril. in tela e oro)
- **La straniera** (108100/05)

BETTINELLI
- **Il pozzo e il pendolo** (131249/05)

BIZET
- **Carmen** (139479)

BOITO
- **Mefistofele** (44720/05; 46855/05 testo in ing., it.)
- **Nerone** (119599/05)

CATALANI
- **Loreley** (54916/05)
- **La Wally** (95257/05)

CHAILLY
- **Una domanda di matrimonio** (131941/05)
- **Era proibito** (130348/05)
- **L'idiota** (131275/03)
- **Il mantello** (130111/05)
- **Procedura penale** (129992/05)
- **Sogno (ma forse no)** (131997)

CIMAROSA
- **Le astuzie femminili** (124388/05)
- **L'Italiana in Londra** (132596/05)
- **Il marito disperato** (132327/05)
- **Il matrimonio segreto** (131862/05, it., ted.)

DONIZETTI
- **Anna Bolena** (45415/05; 45415/04, ril. in tela e oro)
- **Il campanello** (136119, ed. critica)
- **Le convenienze ed inconvenienze teatrali** (136795,)ed. critica
- **Dom Sébastien** (136546, ed. critica)
- **Don Pasquale** (42051/05; 42051/04, ril. in tela e oro; 131527/03, it., ted.; 132875/05 ing., it.)
- **L'elisir d'amore** (41688/05; 41688/04, ril. in tela e oro)
- **La favorite** (135547, ed. critica, fr., it.)
- **La figlia del reggimento** (46263/05)
- **Linda di Chamounix** (42056/05)
- **Lucia di Lammermoor** (41689/05; 41689/04, ril. in tela e oro; 130646/03, ted.)
- **Lucrezia Borgia** (41690/05)
- **Maria Stuarda** (134916, ed. critica)
- **Poliuto** (135661, ed. critica)
- **Rita** (129213/05, it., ted.; 129213/04, ril. in tela e oro)
- **Roberto Devereux** (42047/05)

FALLA
- **Atlàntida** (132481/05; 132481/04, ril. in tela e oro)

FERRERO
- **Charlotte Corday** (134721, it., ted.)
- **La figlia del mago** (137776, ing., it.)
- **Salvatore Giuliano** (134873, it., ted.)

GALUPPI
- **Il filosofo di campagna** (128632/05)

GHEDINI
- **Le baccanti** (126812/05)
- **L'ipocrita felice** (128554/05)
- **La pulce d'oro** (124678/05)

GLUCK
- **Alceste** (49139/05)
- **Orfeo ed Euridice** (46289/05; 46289/04, ril. in tela e oro)

GOUNOD
- **Faust** (53127/05; 53127/04, ril. in tela e oro)

HAENDEL
- **Il Messia** (129624/05, ing., it.)

JOMMELLI
- **L'uccellatrice** (128657/05)

MALIPIERO
- **L'allegra brigata** (128042/05)
- **Il capitan Spavento** (129731/05)
- **Don Giovanni** (130725/05)
- **Don Tartufo Bacchettone** (131076/03)
- **Donna Urraca** (28948/03)
- **La favola del figlio cambiato** (122944/05, it., ted.)
- **Il figliuol prodigo** (128828/04, ril. in tela e oro)
- **L' Iscariota** (131872/05)
- **Il marescalco** (131736/05)
- **Le metamorfosi di Bonaventura** (131735/05)
- **Mondi celesti e infernali** (128096/05)
- **La passione. Oratorio** (123521/03)
- **Torneo notturno** (128172/05)
- **Uno dei dieci** (131868/05)
- **Venere prigioniera** (129737/03)

MASCAGNI
- **Iris** (102181/05; 102181/04, ril. in tela e oro)

MENOTTI
- **Amelia al ballo** (124179/05, ing. it.)

MILHAUD
- **La mère coupable** (130868/05, fr.)

MORTARI
- **Il contratto** (130703/05)
- **La figlia del diavolo** (128647/05)

MOZART
- **Bastiano e Bastiana** (128899/05, it., ted.)
- **Così fan tutte** (130130/05)
- **Don Giovanni** (129777/05; 129777/04 ril. in tela e oro)
- **La finta semplice** (128929/05, it., ted.)
- **Il flauto magico** (129606/05, it., ted.)
- **Idomeneo** (139368)
- **Le nozze di Figaro** (37804/05; 37804/04, ril. in tela e oro)
- **Requiem** (139478)

PAISIELLO
- **Il barbiere di Siviglia** (46102/05)
- **Nina o sia La pazza per amore** (132843/05, ed. riv.)

PERGOLESI
- **La serva padrona** (45390/05; 45390/04 ril. in tela e oro)
- **Stabat Mater** (123718)

PIZZETTI
- **Assassinio nella cattedrale** (129560/05)
- **Il calzare d'argento** (130234/03)
- **Clitennestra** (130754/05)
- **Dèbora e Jaéle** (118751/05; 118751/06 in pelle)
- **Lo straniero** (121457/05)

PONCHIELLI
- **La Gioconda** (44864/05; 47470/05 ing., it.)

POULENC
- **Dialoghi delle carmelitane** (137659, fr., ing.)

PUCCINI

La Bohème (99000/05; 99000/04, ril. in tela e oro; 115494/05 ing., it.; 139445/05, it.-giapponese)
Edgar (110490/05)
La fanciulla del West (113300/05; 113483/05 ing., it.)
Gianni Schicchi (132848/05; 132848/04 ril. in tela e oro)
Madama Butterfly (110000/05; 110000/04, ril. in tela e oro; 129166/05 ing., it.)
Manon Lescaut (97321/05, ing., it.; 97321/04 ril. in tela e oro)
Suor Angelica (121612/05; 121612/04 ril. in tela e oro)
Tosca (103050/05; 135431/05, ed. critica, ing., it.; 135431/04 ed. critica ril.)
Il tabarro (129782/05; 129782/04 ril. in tela e oro)
Il trittico (Gianni Schicchi, Suor Angelica, Il tabarro) (138884/05; 138884/04 ril. in tela e oro)
Turandot (121329/05, ing., it.; 126838/05, it., ted.; 126838/04 it., ted., ril. in tela e oro)
Le Villi (49457/05; 49457/04, ril. in tela e oro)

RESPIGHI

Belfagor (119039/05)
La fiamma (122746/05)
Lucrezia (123648/05)
Maria Egiziaca (122341/05)

ROCCA

In terra di leggenda (123182/05)
Monte Ivnòr (124544/05)
L'uragano (128339/03)

ROSSELLINI

L'annonce faite à Marie (131508/05, fr.)
L'avventuriero (131265/03)
Le campane (129935/05)
La guerra (129179/05)
La leggenda del ritorno (130881/05)
Il linguaggio dei fiori, ossia Donna Rosita nubile (130459/05, fr., it.)
La reine morte (132018/03, fr.)
Uno sguardo dal ponte (130229/03)
Il vortice (129551/05)

ROSSINI

L'assedio di Corinto (87408/05)
Il barbiere di Siviglia (131809, ing., it., ed. critica; 131809/01, ing., it., ed. critica, ril. in tela e oro; 131295/05, ed. critica, it., ted.)
Bianca e Falliero (134029, ed. critica)
La cambiale di matrimonio (113280/05)
La Cenerentola (45707/05; 45707/04, ril. in tela e oro; 131821, ed. critica)
Le comte Ory (42050/05; 132876/05, ing.)
La donna del lago (133191, ed. critica)
Ermione (134548, ed. critica)
La gazza ladra (132722, ing., it., ed. critica)
Guglielmo Tell (40041/05; 40041/04, ril. in tela e oro)
L'Italiana in Algeri (132118, ing., it., ed. critica; 135226/03, ed. critica, it., ted.)
La scala di seta (134555, ed. critica)
Il signor Bruschino (133893, ing., it., ed. critica)
Stabat Mater (49182)
Tancredi (132572, ed. critica)
Il Turco in Italia (132838, ing., it., ed. critica)
Il viaggio a Reims (CP 133821, ed. critica)

ROTA

Il cappello di paglia di Firenze (129054/05)
La notte di un nevrastenico (130119/05)

SPONTINI

La vestale (44686/05; 44686/04, ril. in tela e oro)

TESTI

L'albergo dei poveri (130922/03)
La Celestina (130318/05)
Il furore di Oreste (129365/05)

TOSATTI

Il giudizio universale (128868/05)
Partita a pugni (128694/03, ing., it.)
Il sistema della dolcezza (128689/05)

VERDI

Aida (42602/05; 42602/04 ril. in tela e oro; 44628/05 ing., it.; 129832/05 it., ted.)
Alzira (53706/05; 136944, ed. critica)
Aroldo (42306/05)
Attila (53700/05; 53700/04 ril. in tela e oro)
Un ballo in maschera (48180/05; 48180/04, ril. in tela e oro)
La battaglia di Legnano (53710/05; 53710/04, ril. in tela e oro)
Il corsaro (53714/05; 136997, ed. critica)
Don Carlo (48552/05, in 4 atti; 48552/04, in 4 atti, ril. in tela e oro; 51104/05, in 5 atti; 51104/04, in 5 atti, ril. in tela e oro; 131240/05 ted., it.)
Don Carlos (132213/05 , ed. critica, ed. integrale 4 e 5 atti)
I due Foscari (42307/05)
Ernani (133716, ing., it., ed. critica)
Falstaff (96000/05; 96342/05, ing., it.; 96342/04 ril. in tela e oro)
La forza del destino (41381/05; 41381/04 ril. in tela e oro)
Un giorno di regno ossia Il finto Stanislao (53708/05)
Giovanna d'Arco (53712/05)
I Lombardi alla prima Crociata (42309/05)
Luisa Miller (42310/05; 42310/04, ril. in tela e oro; 134605, ed. critica)
Macbeth (42311/05; 42311/04, ril. in tela e oro; 120841/03, ted.; 136541/05, it.-ted.)
I masnadieri (53702/05)
Messa da requiem (134164, ed. critica)
Nabucodonosor (134570, ing., it., ed. critica; 138771, ted., ed. critica)
Oberto conte di S.Bonifacio (137473/05)
Otello (52105/05, ing., it.; 52105/04 ril. in tela e oro)
Rigoletto (42313/05; 133539, ing., it., ed. critica; 135773, ted., ed. critica)
Simon Boccanegra (47372/05; 47372/04, ril in tela e oro)
Stiffelio (136093, ed. critica)
La traviata (42314/05; 42314/04, ril. in tela e oro; 133060/05 ing., it.; 137341, it., ing., ed. critica; 139332/05, it. giapponese)
Il trovatore (42315/05; 42315/04 ril. in tela e oro; 109460/05 ing., it.; 136183, it., ing., ed. critica)
I vespri siciliani (50278/05; 50278/04, ril. in tela e oro)

VERETTI

Burlesca (128904/03; 128904/04, ril.)
Una favola di Andersen (123212/03)
I sette peccati (129072/03)

VIOZZI

Allamistakeo (129361/05)
Un intervento notturno (129486/03)

VLAD

Il gabbiano (131484/03, ing., it., ted.)

WOLF-FERRARI

Il campiello (123300/05)

ZAFRED

Amleto (129693/05, it., ted.)
Wallenstein (130429/05)

ZANDONAI

I cavalieri di Ekebù (119775/05)
Conchita (113740/03)
Francesca da Rimini (115450/05)